Northern Michigan University
3 1854 008 669 460

böhlau

Karina Schwann

Breakdance, Beats und Bodrum

Türkische Jugendkultur

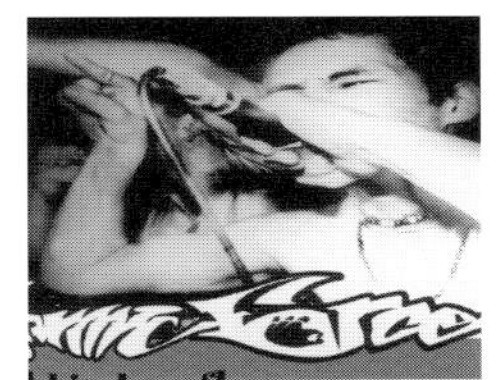

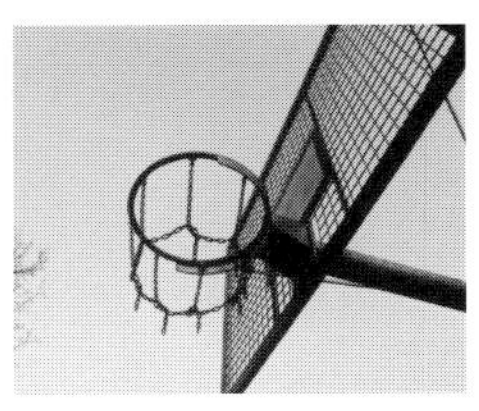

Realisiert mit einem wissenschaftlichen
Stipendium der Stadt Wien
Gedruckt mit der Unterstützung durch das
Bundesministerium für Bildung, Wissen-
schaft und Kultur

Die Deutsche Bibliothek -
CIP-Einheitsaufnahme
Ein Titeldatensatz für diese
Publikation ist bei
Der Deutschen Bibliothek erhältlich
ISBN 3-205-99464-7

http://www.boehlau.at

Gedruckt auf umweltfreundlichem, chlor- und
säurefreiem Papier

Layout: Bettina Waringer
Druck: Manz, Wien

INHALT

VORWORT

„Alle Kulturen gehören mir!" Dieses Zitat der Bildhauerin Enis Turan entspricht auch meiner subjektiven Realität. Sieben Jahre lang habe ich keinen europäischen Winter vollständig miterlebt.
Ich habe die Welt bereist, studiert und Geld verdient. Unzählige Kulturen habe ich dabei kennen und lieben gelernt. Und jede einzelne ist irgendwie ein Teil von mir geworden. Diese Jahre waren die schönsten in meinem bisherigen Leben. Nicht so schön jedoch war die Ernüchterung, im eigenen Land plötzlich mit Ausländerfeindlichkeit konfrontiert zu werden. Sich zu schämen für das Verhalten ignoranter, engstirniger und ängstlicher Mitbürger. Und das, wo man jahrelang selbst als „die Fremde" in anderen Ländern liebevoll aufgenommen wurde. Was ist überhaupt ein Ausländer? Ist man selbst oft nicht „mehr fremd" als Menschen, die hier geboren sind, jedoch auf dem Papier nicht als Österreicher oder Deutsche gelten? Und das alles in Zeiten der EU! Seit ich also meine Reisetasche im Kasten verstaut und mich in Wien als Journalistin eingenistet habe, beschäftige ich mich mit Ausländer-, Flüchtlings- und Zweite-Generations-Themen.
Im April letzten Jahres habe ich für das ORF-Radio-Ö1 ein einstündiges Feature über türkische Jugendliche in Wien gebastelt. Darauf hin hat mich der Böhlau Verlag angeschrieben ... and here we are.

Als einfaches Fallbeispiel für Jugendkulturen im Allgemeinen habe ich die Gruppe junger Türken ausgewählt.

Von einem anzustrebenden Zustand einer funktionierenden Multikulturalität, einem fluktuierenden Miteinander vieler Bevölkerungsgruppen, ist man jahrelang ausgegangen. Dem gegenüber steht aber die reale Welt eines Nebeneinanders verschiedener Ethnien, die sich austauschen. Angesichts dieser viel belächelten, nicht vorhandenen Multikulturalität, scheint das Beschreiben „einer" Migrantengruppe sinnvoll.

In Österreich bilden Türken, nach den ex-jugoslawischen Bürgern, die zweitgrößte Einwanderungsgruppe. In Deutschland rangieren sie auf Platz eins der Migrantenskala. Sie kurbeln tatkräftig die Wirtschaft und vor allem das Nachtleben an. Allein in Berlin leben um die 150.000 „Berliner Türken". In Wien beteiligen sich etwa 40.000 so genannter „Austrotürken" am gesellschaftlichen Leben. Von „orientalischen" Clubs über eine köstliche Küche bis hin zu aktiven, zeitkritischen Kulturexperten bereichern junge Türken in vielerlei Hinsicht das mitteleuropäische Leben. Sie sind es leid, dass über sie gesprochen, gerichtet und befunden wird. Sie zahlen Steuern und fordern ihre Rechte. Weder die leidige Opferrolle noch eine ungerechte Täterrolle sind ihre Realität.

In 70 verschiedenen Interviews haben Jugendliche in Berlin und Wien, zwischen 14 und 35 Jahren, quer durch alle sozialen Schichten und quer durch ein breit gefächertes Themenspektrum, ihre Meinung kundgetan. Ihnen ein Sprachrohr zu verschaffen, war meine Motivation. Ich habe also nur interviewt, habe keine Antworten suggeriert, sondern sie erzählen lassen. Aus der Masse an Aussagen habe ich dann einige wenige selektiert und den einzelnen, vorher festgelegten, jugendrelevanten Kapiteln zugeteilt. Die unvollständige Namensnennung unter den Zitaten ist einerseits auf die von den Jugendlichen erbetene Anonymität zurückzuführen, andererseits war es mir wichtig, durch das Weglassen des Berufes, Alters oder des Nachnamens den Inhalt so wenig wie möglich an den Status einer Person zu binden. Die Beliebigkeit und Vielfältigkeit der Aussagen soll eine antihierarchische Essenz bilden.

Über Freunde, Bekannte und verschiedene Jugendorganisationen habe ich schnell Kontakt zu den Trendsettern der Szene und anderen gefunden. Allerdings war das Forschen und Interviewen in meiner momentanen Heimat Wien, im Vergleich zu Berlin, ein eher schwieriges Unterfangen. Die kulturinteressierte, aktive Szene hier ist sehr klein. Wenig tut sich. Ein paar türkische Clubbings, ein paar Konzerte und eine Hand voll engagierter Einzelpersonen. Die jedoch präsentieren sich als wahre österreichische Zugpferde im internationalen Feld. Berlin hingegen ist das „Eldorado" für jeden Jugendkultur-Interessierten. Professionelle Breakdance-Gruppen, Rapper, Graffiti-Künstler, Filmschaffende, Literaten, Schauspieler und Medienleute braucht man hier nicht erst zu suchen.

Im Laufe meiner langjährigen Beschäftigung mit der so genannten „Ausländerproblematik" habe ich mehr als einmal über den Sinn der Thematisierung derselben nachgedacht. Wäre es nicht besser, wenn man Begriffe wie Ausländer, Migrant oder Gastarbeiter und die dazu passenden Inhalte schlichtweg ignoriert? Gibt man da nicht einem von den Medien produzierten „Gespenst" Gewicht, dass es in Wirklichkeit so gar nicht gibt? Der Umgang einer deutschen und österreichischen Politik zeigt nur allzu gut die negativen Auswirkungen einer völlig fehlgeleiteten Diskussion.

Rezepte gibt es keine. Daher präsentieren Jugendliche der zweiten und dritten Generation schlagfertig ihre Welt. Sie kämpfen stark, wild und selbstbewusst gegen Ungerechtigkeiten. Wobei das Motto lautet: „Wir stehen nicht zwischen zwei Stühlen oder Kulturen, wir haben längst unsere eigene."

HEIMAT: "Ich bin eine Ausnahme – ich bin von Welt"

Staatsbürgerschaftsnachweis

... ich könnte genauso hier auf die Welt kommen wie in Kuba oder in der Dominikanischen Republik!! **Alle Kulturen gehören mir.** Natürlich identifizier ich mich, gewisse Bausteine sind die Bausteine von meinem jetzigen Leben. Aber identifizieren tu ich mich mit Griechenland oder mit alten Römern, das ist auch ein Teil von meiner Kultur. Meine Kultur fängt nicht mit der Türkei an, so wie sie heute geografisch gezeichnet ist. (Enis Turan)

Wir machen heute zum 40-jährigen Jubiläum der Einwanderungsgeschichte so vermehrt Info **... so, wie wird die Zukunft aussehen – von meiner Ansicht her ist die Zukunft so, dass ich einfach noch lange hier bleiben werde.** Ich bin mit 9 hierher gekommen, ich weiß gar nicht, wie viel Jahre ich hier bin, irgendwann hab ich aufgehört zu zählen ... ich hab gesagt, als ich 73 hergekommen bin, war ich ein Ausländer. Jetzt denk ich, die Deutschen können ruhig hier bleiben. (Ali Yigit, Morgenmoderator bei Metropol FM)

In Wirklichkeit bin ich kein echter Türke in dem Sinne, sondern aus dem Kaukasus, meine Familie ist irgendwann in die Türkei geflohen – vor den Armeen des Zaren sozusagen –, Flucht ins Osmanische Reich und dann von der Türkei nach Deutschland und dann nach Österreich ... in Wirklichkeit bin ich ein Türke, tscherkessischer Abstammung mit Sozialisation in Deutschland und Lebensmittelpunkt in Wien. Deshalb zum einen die Kompliziertheit des Begriffes Türke oder aus der Türkei, weil Anatolien ist einfach ein ethnischer Mix, und ich kenne kaum welche, die echte Türken sind. Die ganze Türkei besteht aus einem ethnischen Mix. (Hikmet Kayahan)

Wir haben hier in **Berlin** 150.000 türkische Menschen oder mehr ... die halt mit einer türkischen Staatsbürgerschaft da sind ... laut statistischem Bundesamt 2000 waren die offiziellen Zahlen 138.000. Man muss aber jetzt die Leute dazuzählen, die deutsche Staatsbürger geworden sind. In Berlin sind es deshalb auch nur maximal 150.000, die man klar zuordnen kann. 2,5 Mio. in ganz Deutschland, 2,1 Mio. waren es Ende 99 und eben 400.000, die zu diesem Zeitpunkt schon als Deutsche eingetragen waren. (Ozan Sinan)

Ich bin in der Türkei geboren. Ich habe keine wirkliche nationale Identität. Ich hab andere Werte. **Ich hab so humane Werte, nicht nationale Werte.** (Murat Buga)

Wien, am 3. Dezember 1997

Magistrat der Stadt Wien
Magistratsabteilung 61

Als unsere Eltern gekommen sind 68/69/70, durften sie nur in bestimmte Bezirke ziehen. Das ist unglaublich, aber wahr. Ich hab sogar 'n Freund, da steht's im Pass. Also sie haben sogar ein Schreiben dazu bekommen: „Ihnen ist nicht erlaubt, in folgenden Bezirken zu wohnen." Charlottenburg und dies und das. Das ist kein Witz oder so. Wir durften in Kreuzberg, Neukölln, Wedding usw. wohnen, da, wo heute noch viele Ausländer wohnen. Natürlich spielt auch 'ne Rolle, dass da die Mieten so billig waren. (Erci Ergün)

Ich weiß von Erzählungen der ersten Generation, dass die in die Fabriken in der Türkei gegangen sind und wie bei einer **Fleischbeschau** gekuckt haben, welche Arbeiter gut arbeiten können und die dann ausgewählt haben. (Erci Ergün)

Genauso, wie mich Bücher und Lieder geformt haben ... **haben mich Lehrer geformt.** Ich gehör vielleicht der 66er-Generation an. Eigentlich gehör ich der „Wickie, Slime und Paiper"-Generation an.
(Hikmet Kayahan)

familie: „der maskenmann"

Ich bin als Gastarbeiter-Kind hierher gekommen und meine Eltern hatten die Absicht, irgendwann für immer zurückzukehren, das hab ich von meiner Kindheit an so mitbekommen. **alles sparen, alles nehmen, alles, was du so kriegen kannst, zu hause bunkern,** weil irgendwann gehen wir mal zurück. Und Schule haben wir auch nicht so ernst genommen, weil irgendwann gehen wir ja zurück. Ich hatte überhaupt keine deutschen Freunde. Mit 12 in der Schule den ganzen Stress so, **weil meine eltern kamen aus dem tiefsten dorf.** Ich musste um sechs, sieben so nach Hause kommen. Die deutschen Kinder durften nach der Schule spielen, der eine durfte zu dem anderen, wir durften aber nicht. Und irgendwie kam dann damals so die „Maskenmannzeit", so einer mit 'ner Maske, der rumzieht so und die Kinder von Ausländern weg klaut. Jedes Ausländerkind kennt den Maskenmann. Das haben die Eltern gesagt, und deshalb mussten wir vor dem Dunkeln zu Hause sein. Meine Eltern haben tagsüber und am Abend gearbeitet. Also war ich alleine den ganzen Tag. Mit jungen Jahren so ... in der Pubertät haben wir halt gekuckt so ... ein paar junge Türken auf der Straße, haben uns gesammelt und 'ne

Gang gemacht. **was unsere familie uns nicht geben konnte, unabsichtlich, haben wir dann selber von der straße geholt so.** Das war dann unsere Gemeinschaft, und irgendwie war Deutschland so voll der Reinfall für uns so. Danach fing der Knast an bei mir so. (Killa Hakan)

meine eltern haben mich immer unterstützt. Ich brauch keine Miete zahlen, ich brauch noch nicht einmal Autoversicherung oder Steuer bezahlen ... zahlen alles meine Eltern. Ja und die haben gesagt: „Wieso hast du so eine Scheiße gebaut?" War auch sehr peinlich für mich. Wir sind sechs Geschwister; ich konnte nicht ein, zwei Monate die Gesichter ankucken von denen ..., weil es mir peinlich war. Alle leben hier, alle sind schon verheiratet. Ich bin der Jüngste. Der Jüngste und der Schlimmste, sagt man mir. Aber dadurch habe ich auch sehr vieles gelernt. Meine Familie wohnt hier, alle hier in Berlin. Wo genau? – Das will ich hier vielleicht nicht genau sagen. (Tevrat)

es gibt nicht die türken. Es gibt so eine breite Fächerung von Türken. Es gibt die intellektuellen Türken, dann gibt's die ganz normalen Türken, wie in jeder anderen Gesellschaft auch. Was ich halt merke, ich bin jetzt 32 und bin mit 18 damals von zu Hause ausgezogen, was sehr, sehr schwierig war – meine Eltern – damals war das halt noch nicht so – Mädchen sollten so schnell wie möglich heiraten. Mädchen brauchen kein Abitur und brauchen nicht zu studieren. Es ist halt ein Kampf gewesen – mehr als heute. Ich sehe heute mit Freude, dass sehr viele Mädchen Abitur machen dürfen und halt kein Kopftuch mehr tragen. Ich hab bis zu meinem 18. Lebensjahr Kopftuch getragen und musste in die Koranschule gehen. Ich musste noch ganz traditionell den Koran lernen, weil meine Eltern sehr, sehr religiös sind – heute immer noch. Es macht mir Freude, wenn ich die Mädchen an der Uni sehe. **wenn die mädchen aber dann einfach nur faul in engen höschen und grell geschminkt rumlaufen ... das macht mich wütend.** (Hatice Akyün)

Mit dem ersten deutschen Freund hat das angefangen. Und außerdem mit der Erwartung, **dass meine jungfräulichkeit mit sicherheit sehr bald wegflutschen wird,** wurde ich in die Türkei, nach Ankara, zu einer Tante verschickt, um verheiratet zu werden. Dort konnte ich nicht studieren, weil mein Abitur nicht anerkannt wurde, und ich musste dann bei der Tante in einem sehr kleinen Zimmer unter so 'ner schweren Doktrin leben – und hab dann sofort einen klugen Vorsatz gefasst: Ich kann da nur jobben und spreche drei Sprachen. Bin in eine internationale Bank und habe dort Geld verdient. Ich hatte dann jegliche Rechte auch hier in Deutschland verloren. So, dass es hieß für mich, ich kam da in Kiel bei meinem Bruder wieder an, nachdem ich geflüchtet bin, mit einem Touristenvisum, obwohl ich in Berlin geboren bin und mich also hier 20 Jahre aufgehalten hatte. Ich hatte plötzlich nur drei Monate Gelegenheit, mich hier aufzuhalten. Ich musste mich also zu Björn Engholms persönlichem Referenten durchboxen, was auch nicht einfach war, und hab halt plädiert auf Härtefall und Notfall. Und ich bekam dann mit Ach und Krach schließlich einen Studienplatz für Soziologie, Germanistik, Anglistik, Psychologie.
(Belhe Zaimoglu, Schauspielerin)

Ich hörte einmal von den Eltern, dass ich einen ordentlichen Beruf erlernen sollte oder mit einem gut Situierten in der Gesellschaft, à la Fontane/„Effi Briest", verheiratet werden sollte, na ja, und beides war nicht das Richtige. **also mich verkaufen an irgend so einen reichen?** Aber die Heiratskandidaten, also die tickten mein Herz nicht so an, da sprang der Funken nicht so über. Also es gab da mindestens 20, 25 Männer, mit denen ich Abend essen ging, oder die kamen zum Mokkatrinken, dieses typische Ritual, der Kandidat kommt in das Haus der Frau, um deren Hand er anhält, und da waren halt Papa, Mutter und ich und tranken halt Mokka. Lustig auch irgendwie, also über Mokkaverschütten absichtlich und unabsichtlich, über nicht ins Gesicht gucken können am Eingang, also dann nach rechts gucken und diese riesige Glatze zu sehen, bei dem anderen Riesenlöcher in den Strümpfen, also ich erinnere mich da an unzählige Geschichten, die damit verbunden sind. (Belhe Zaimoglu, Schauspielerin)

Meine Eltern sind nicht sehr religiös. Aber sie würden sagen, sie glauben an Gott, wenn sie gefragt werden. Die haben uns eigentlich ohne Religion aufwachsen lassen. Weil sie vielleicht selbst nicht wussten, wie sie's vermitteln sollen, und weil wir ja auch in Deutschland geboren und aufgewachsen sind, und wahrscheinlich dachten sie auch, dass man sich ein wenig anpassen muss. Dass man nicht so weiterleben kann wie in der Türkei. Ein bisschen war es gut, ein bisschen auch nicht. Zum Beispiel hab ich erst in der Vorschule angefangen Deutsch zu lernen. Ich bin bei meinem Großvater aufgewachsen. Hab ganz viel deutsch gesprochen, auch zu Hause. Mit meiner Schwester zum Beispiel. Dann sind so 10, 12, 15 Jahre dazwischengetreten, wo ich nur deutschsprachige Literatur gelesen hab, englischsprachige Musik gehört hab, deutsches TV gesehen hab. Und erst vor kurzem, seit zwei, drei Jahren, hat so eine Wende in meinem Kopf stattgefunden. Ich hab versucht, so ein bisschen **zurück zu den wurzeln.** Ich meine, nicht so romantisch, das ist meine Heimat und so, meine Religion. **ich hab einfach angefangen, türkischsprachige literatur zu lesen.** Dass ich gemerkt habe, dass das genau so ein Teil ist von mir. Das ist einfach eine wichtige Komponente, die bis dahin ein bisschen verkümmert war. (Ali Gunay Koray)

Wir wurden immer von meinen Eltern belohnt. Das war eher sonntags, weil wir so Ausflüge gemacht haben mit Eltern, mit Verwandten, mit Freunden. Und wenn wir dann brav waren, haben wir immer **eis essen dürfen. beim „tichy"**. Und dann im 10. Bezirk, ich weiß nicht genau, wo das war, da war so ein Spielzeuggeschäft. Und immer wenn wir unsere Zeugnisse bekommen hatten, dann haben wir immer so, wenn's ziemlich gute Noten waren, dann haben wir so Geschenke bekommen. Das war, glaub ich, auf der Quellenstraße oder so, im 10. Bezirk. Aber Kleidungssachen haben wir von meiner Mutter bekommen. Die hat sich immer das Ganze ausgesucht und eingekauft.
(Osan Önal)

PEERS WAHLFAMILIE: «MEINE BRÜDER«

Ich bin seit 23 Jahren in Deutschland, bin hier groß geworden, also **VOR 2 JAHREN HAB ICH SEHR VIEL SCHEISSE GEBAUT,** aber ich bereue das jetzt ... ich habe alles Mögliche gemacht, ich hab Körperverletzungsanzeigen gekriegt, Diebstahlsanzeigen gekriegt, alles Mögliche also. Ein paar Mal nur Diebstahl, da bin ich nur mit meinen Kumpels mitgegangen, aber muss nicht, bringt nichts. Man muss selber alles tun, man muss arbeiten, man muss selber alles verdienen. Man muss selber auf eigenen Füßen stehen. Meine Kumpels haben mich immer gezogen, komm mit, komm, komm, komm mit ... Ich war vielleicht richtig ausgeflippt, die waren auch ausgeflippt, da bin ich einfach mitgegangen ... also, da bin ich auch einmal mitgegangen, und die haben mich auch erwischt – das war so eine, so wie eine Spielbank. Da sind wir hingegangen, haben halt gespielt, gespielt ... dann plötzlich kam eine Schlägerei raus, dann haben wir die Leute da fertig gemacht – zusammengeschlagen – und dann wurde das Geld von denen mitgenommen. Ja, das ist Scheiße ... **ABER JETZT BEREU ICH DAS.**
(Tevrat)

Zum Beispiel wenn Feten sind, dann trinken die Großen, wir dürfen nicht. **JEDER, DER GROSS IST, IST UNSER BRUDER.** Richtig so wie unser eigener Bruder. Wir dürfen nichts machen, also rauchen und so. Zum Beispiel soll man neben denen keine Ausdrücke sagen und so, da musst du ganz brav sein neben denen. Die helfen uns halt auch. Die laden uns ein zum Schwimmen, Essen usw., die geben uns manchmal Taschengeld. Ich geh in die 9. Klasse.

In meinen Songs geht's darum, dass der Sunnit, dass der Alevit, dass der türkische Linke oder der türkische Rechte, der türkische Moslem, der türkische Christ, dass die alle sich zusammentun sollen und dieser **NO-FUTURE-GENERATION EINE CHANCE** geben sollen. Weil es gibt ganz viele türkische Geschäftsleute, die richtig viel Geld haben in Deutschland oder in der Türkei, und diese Leute geben dem Jugendlichen, der keine Chance hat, auch keine Chance. Oder wenn du bei einem Türken arbeitest, wird er dich ausbeuten. Wenn er zu dir sagt, du kriegst DM 15 die Stunde, kannst du froh sein, wenn du DM 10 kriegst die Stunde. **UND WIR TÜRKEN, WIR WAREN NIEMALS SO, WIR WAREN IMMER LEUTE, DIE GESAGT HABEN, WENN MEIN NACHBAR VERHUNGERT, KANN ICH NICHTS ESSEN.** Also das ist die türkische Kultur. Also ich bin kein Patriot, ich bin auch kein Nazi oder so 'n Scheiß, mir geht's um das Menschliche, das bei den Türken verloren ging, dass es kein Zusammenhalten gibt. Wenn einer auf dem Boden liegt, kriegt er noch einen Tritt. (Deniz Bax)

Es gibt Verpflichtungen, die ich nicht mal kenne, die mich ab und zu sehr erstaunen. Es gibt eine **GROSSE ANZAHL ARBEITSLOSER TÜRKISCHER JUGENDLICHER, ABER KEINER VERHUNGERT.** Weil sie ihre eigenen kleinen Geschäfte machen und sich gegenseitig helfen und festhalten und anhalten aneinander. Die wollen auch nix zu tun haben mit irgendwelchen demokratischen Institutionen dieser Gesellschaft. Die verfestigen ihre eigene Welt, die Freundschaften und die Verwandtschaft und wollen in diesem Netz weiterexistieren. Die fallen nicht heraus, wie deutsche Soziologen immer wieder sagen. Das glaub ich nicht. (Cem Dallaman)

BEZIEHUNGEN

„Es wird heute einfach zu viel rumgepoppt“

Für mich sind Beziehungen ganz wertvoll. Ich bin auch nicht so 'n, Mensch, der irgendwie alle drei Monate einen neuen Partner hat oder sich superschnell auf jeden Neuen fixieren kann, das geht bei mir nicht. Weil wenn ich jemand für wertvoll halte, ob's jetzt ein Typ ist oder eine Freundin, dann ist das eigentlich so für längere Zeit, dann baut sich das auf, dann kämpf ich auch. Das find ich immer auch so 'n bisschen schwach an meinem Umfeld, dass superoft zu früh aufgegeben wird und zu schnell ausgetauscht wird und rumgesprungen wird. Das find ich superscheiße. (Serpil Turhan)

Aus meiner Elterngeneration find ich das alles so 'n bisschen wertvoller, wie die mit Liebe umgegangen sind. (Serpil Turhan)

Es gibt so ein Wort bei uns: evde kalin. Also, wenn ein Mädchen bis 21 nicht geheiratet hat, dann ist sie nicht begehrenswert. Es ist eher ironisch gemeint. Ich sag dann immer: Warum soll ich heiraten? Ich kann nicht bügeln, ich kann nicht kochen, ich kann kochen, aber ... ich will einfach nicht heiraten, ich hab noch so viel vor und ich weiß gar nicht, ob ich je heiraten werde. (Pinar Yildiz)

Österreichische Mädels sind doch offener. Z. B. das mit der Eifersucht, ein türkisches Mädchen ist doch mehr eifersüchtig als ein österreichisches Mädchen. Wenn ein Türke jetzt mit einer Österreicherin zusammen wäre und er schaut ein anderes Mädchen an, dann sagt die Österreicherin nicht so viel. Aber wenn da eine Türkin ist, „he warum hast du dorthin geschaut?“, die ist gleich angefressen oder so auf die Art. (Ali)

Ich hab eine österreichische Freundin auch gehabt, die war auch eifersüchtig. Es kommt immer drauf an auf die Erfahrungen und so. Wenn ein gegenseitiges Vertrauen da ist, dann ist man nicht eifersüchtig. (Serkan)

Ich will auch jetzt heiraten, Familie gründen ... Ich hab seit drei Jahren eine Freundin. Sie kann nichts dazu sagen, sie kann sich nicht einmischen in mein Leben. Also ich mach, was ich will. Wir sind hier in Deutschland, ich kann machen, was ich will. Ich hör nicht auf Mädchen. Wenn schon, denn schon; ich bin der Junge, der Mann – so ist das.

Sie muss auf mich hören. Sie muss machen, alles, was ich sage (lacht). Ne okay, ich muss auch mal auf sie hören, aber nicht alles. Wenn es ihr nicht passt, dann soll sie weggehen, aber sie bleibt bei mir. Ich hab sie in die Türkei geschickt für zwei Wochen. Ich hab sie auch sehr vermisst ... bei uns ist der Mann der König. Das ist bei Ausländern wirklich so. Ich denke oft auch anders – ich gebe den Frauen auch Recht, aber ... weiß ich nicht. Die sollen zu Hause bleiben und putzen. Frauen halten die Jugendlichen von schlimmen Sachen ab. Zum Beispiel: Wenn ich nicht mit meiner Freundin zusammen wäre, hätte ich vielleicht mehr Scheiße gebaut. Sie ist immer hinter mir. Sie sagt: „Mach das nicht, mach das nicht ..." Ich höre auf sie. Also, eine Freundin zu haben ist wirklich sehr gut. (Tevrat)

So in der Freizeit gehe ich gerne weg. Mit Freunden, richtigen Freunden weggehen, mich amüsieren, mich irgendwo hinzusetzen, mit netten Leuten, nette Menschen kennen lernen. Also, Party, nur Party machen. **Ich liebe alle Frauen auf der Welt.** Das sind die einzigen Menschen, die dich wirklich von der Scheiße abhalten können. Frauen helfen schon viel. **Frauen sind die nettesten und liebsten Menschen auf der Welt.** Ohne Frau ist das Leben Scheiße. Also, in der Freizeit gehe ich gerne weg und höre Musik. Hiphop, Soul, gemischt, alles gemischt. Meine Bands sind die, die gut singen ... (Tevrat)

Ich hatte mehrere, aber jetzt will ich nicht mehr. Ich hab eine Freundin, ja ... aber nicht so richtig. Sie will ihren Spaß, ich will auch meinen Spaß, so einfach ist das. Liebe gibt es aber nicht. Sie will keine Liebe, ich will auch keine Liebe. Ich hatte früher vier oder fünf Freundinnen auf einmal. Mir war das egal. Ich war einmal dort, einmal dort und einmal dort. Will ich jetzt nicht mehr, macht nur Kopfschmerzen.

BEZIEHUNGEN

Es ist nicht so leicht, hier einen Freund zu finden. **Die wollen ja alle nur das eine.** Mit einem Mädchen ins Bett gehen und das war's. Und dann kommt die Nächste. Meine längste Beziehung war ein Jahr. Ein paar Jungs sind schon so, nicht alle natürlich. Mir ist so was noch nicht passiert, dass ich so eingefahren bin. Aber ich kenn halt ein paar Freundinnen ... **normal machen so One-Night-Stands nur die Männer.** (Sibell Temel)

Viele türkische Familien möchten, dass ihr Sohn bzw. ihre Tochter eine Frau bzw. einen Mann aus der Türkei heiratet. Das halte ich nicht für richtig, weil die zweite, dritte und sogar vierte Generation vieler Familien in Österreich geboren ist, sie sind quasi „Austro-Türken". Kurz gesagt, ich bin gegen die **Export-Heirat** und wünsche mir, dass die Partner aus Österreich sind, aber in den Köpfen der Leute muss dieser Gedanke erst heranwachsen. Ansonsten sehe ich in der Zukunft gröbere Probleme auf uns zukommen. (Birol Kilic)

Dann noch in Dortmund auf dem Theater. Genau, dann kam **„Musterknaben Zwei".** Ist ja auch mittlerweile ein Kultfilm irgendwie. Da bekamen wir auch dann den Zuschauerpreis auf 3Sat. Es geht um zwei Polizeicops und ich sollte eine Nachbarin spielen. Und wie das Leben so spielt, verliebte ich mich in den Kameramann, der da heißt Hannes Huber, der von mir und ich von ihm angetan war. **Passiert ja selten im Leben, dass man sich anguckt und erkennt.** Na ja. Verliebt gewesen, und ich hab dann gekündigt und er wohnte eh in Berlin und wir sind zusammengezogen. (Belhe Zaimoglu, Schauspielerin)

Ich hab nur meine Freunde gesehen, die haben schon alles erlebt. Die sind schon mit 15 fortgegangen, wo mein Bruder mit 20 hingehen durfte. Und mit 19 schließen sie ab und wollen heiraten. Ich denk da ganz anders. **Heiraten ja, wenn die Zeit gekommen ist.** Aber nicht mit 18, 19, 20 oder 22. Ich bin 25. Vielleicht heirate ich ein paar Jahre später. Aber nicht jetzt. Es ist ja auch sehr wichtig, was die Jugendlichen hier tun. Sie gehen acht Jahre zur Schule und dann machen sie halt eine Lehre weiter, und dann haben sie halt ihren Spaß während ihrer Jugendzeit. Da gehen sie halt zu Clubbings usw. Und dann beginnen sie eh schon Geld zu verdienen. Und was denken sie sich? Ja, es ist schon die Zeit gekommen, um zu heiraten. (Osan Önal)

BILDUNG:

DIE EUROPASCHULE

Wir haben bundesweit die einzige **deutsch-türkische europaschule** gegründet. In dieser Schule lernen deutsch-türkische Kinder gleichzeitig Deutsch und Türkisch. Oder ich hab dafür gesorgt, dass in der Bezirksverwaltung mehr als 20 junge Menschen eingestellt worden sind, die einen anderen kulturellen und ethnischen Hintergrund haben, nur das sind so Kleinigkeiten. (Özcan Mutlu, grüner Landespolitiker/Berlin)

nein, es ist nicht leicht, in die kunstakademie wien aufgenommen zu werden. Hunderte Menschen melden sich an ... und als ich Aufnahmeprüfung gemacht habe, sind acht Personen aufgenommen worden. Es ist ein bisschen anders, das System da in der Türkei. Eigentlich fängt man bei null an, Kunst zu studieren. Nicht wie hier auf der Akademie, wo du ein gewisses Fundament haben solltest. Deswegen hatten wir eine total klassische akademische Ausbildung mit Anatomie, Naturstudien in der Türkei. Dann geht's erst Richtung moderne Kunst. Wo du anfängst und Materialien auswählst und Themen ... Ich führe meine Aufnahme in die Kunstakademie in Wien schon auf die Ausbildung in der Türkei zurück ... weil du musst wirklich ein Portfolio präsentieren, was du vorher gemacht hast. In der Türkei bekommt man eine Aufgabe bei der Aufnahmeprüfung, da musst du etwas zeichnen, etwas planen oder etwas modellieren ... da musst du nicht vorher schon etwas gemacht haben. Schon ein gewisses Talent haben oder eine Art zu sehen, aber ein fertiges Portfolio brauchst du nicht. (Enis Turan)

Nachdem ich Volksschule, Hauptschule abgeschlossen hab, hab ich überlegt, was soll ich machen. War interessiert eher auf kaufmännischen Bereich, hab's mit der Handelsschule versucht und hab doch gesehen, dass das nicht funktioniert, weil ich war an einer **hauptschule, wo viele minderheiten vertreten waren.** Und es gab halt einen Unterschied zu dem, was ich in der Handelsschule an Grammatik gelernt habe, intensiver, und was in der Hauptschule. Ich hab das halt nicht ganz geschafft dort. Dann hab ich mich umgeschaut und hab gesehen, dass etwas Mechanisches vielleicht besser in Frage kommt. Dann hab ich Mechaniker gelernt, Automechaniker, und jetzt bin ich in der Richtung selbstständig zu werden. Ein Unternehmer halt. (Ali)

Zuerst war ich in einer Volksschule in Graz ... dann war ich in einer Hauptschule in Wien und wir haben über neunzig Prozent Ausländeranteil gehabt. Ich hab aber trotzdem immer gute Noten gehabt ... **also, es hat nicht mein deutsch verschlechtert oder so ...** (Zehra)

Ich hab eine Freundin und die hat gemeint: **„wenn ich ein kind habe, werde ich das sicher nicht im zehnten bezirk in die schule schicken, weil da sind so viele ausländer."** Dabei ist die selbst Türkin ... (Eila)

Diese Jugendlichen müssen von klein auf in die Gesellschaft integriert werden ... und der Kindergarten ist ein gutes Instrument dafür, glaub ich. Wenn Geld da ist, gibt's eh kein Problem – in einen Privatkindergarten können sie jederzeit gehen. Aber sonst sind sie auf den städtischen Kindergarten angewiesen. Da ist es Voraussetzung, dass beide Elternteile arbeiten ... **aber die türkischen mütter sind ja meistens zu hause.** (Ercan Yalcinkaya)

Wir haben sehr dafür gekämpft, dass **ausländerregelklassen aufgehoben werden.** Ausländerregelklassen sind solche gewesen, wo nur Ausländer in einer Klasse waren, keine deutschen Kinder, und die Qualität war sehr schlecht. Diese Klassen haben wir mit Elternvereinen und Verbänden zusammen bekämpft und aus dem Schulgesetz rausgenommen. (Özcan Mutlu, grüner Landespolitiker/Berlin)

Genauso wenn man sich die Unterrichtsfächer ankuckt, so hat sich diese multikulturelle Gesellschaft nicht wieder gefunden. In den Schulbüchern nicht, in der Lehrerausbildung nicht, ganz banales Beispiel: Sachbuch 3. Klasse ... Thema Spielplatz: in einer Geschichte, wo Spielplatz thematisiert wird, damit die Kinder wissen, was ein Spielplatz ist ... 3. Klasse, egal ... **taucht der name ali und alchi nie auf.** Aber wenn man auf die Spielplätze dieser Republik geht, in den Metropolen, dann wird man Ali und Juan und alle wieder finden.

Wir müssen die Schulbücher sichten und anpassen. Wir brauchen mehr zweisprachige Lehrer. (Özcan Mutlu, grüner Landespolitiker/Berlin)

Einige Jugendliche nehmen an Konferenzen, Tagungen und Diskussionen teil, wo es seit 22 Jahren heißt, niemand ist ein Ausländer und alle sind gleich. Aber an den meisten Türken gehen diese Diskussionen vorbei. Es interessiert sie einfach nicht. Sie sehen sich ohnehin integriert. Also sie sind in diesem Land auf ihre Weise angekommen. Sie haben sich breit gemacht, sie haben ihre eigenen Läden, Diskos, Zentren, Viertel, Einkaufsmeilen und verkehren in ihren türkischen Freundschaften. Und in dieser fremden Umgebung haben sie eine eigene Welt errichtet, in der sie sich auch wohl fühlen. Integration und so prallt an dieser Mauer, die sie um sich herum gebaut haben, ab. (Cem Dallaman, Radio Multikulti SFB)

Ich hab in der Schule niemals türkisch gesprochen. Ich hab aber auch wenig Bezug zu den türkischen Mädchen da gehabt. Und das bisschen Türkisch, das ich gesprochen hab, hat nie meinen Leistungen geschadet ... das ist ein Schwachsinn. **in den internationalen schulen sind ja auch lauter ausländer ...** und alle wollen ihre Kinder da hinschicken, wenn sie könnten ... Es gibt manche, die sind aus Amerika und aus England ... das sind da dann die Coolen, und dann gibt's die Türken und die Jugos ... und die will keiner haben ... Und ich glaub aber, in zwanzig oder dreißig Jahren wird das sicher anders ausschauen. (Eila)

JOB: „Andere Baustelle“

Ich hatte angefangen mit Musikgruppen zu musizieren – aber ich hatte mir nie gedacht, dass ich das auch professionell machen könnte ... Ich hab dann in einem Lokal meinen ersten öffentlichen Auftritt gehabt. Ich hab da nichts bekommen, sondern bin nach meinem Auftritt Spenden sammeln gegangen. Das war im „Kuku“ – auf der Linken Wienzeile. Ich hab zuerst nur getrommelt und später hab ich dann ein Saiteninstrument gespielt. Dort sind sehr viele Jazzmusiker hingekommen, Kabarettisten, Folkloremusiker, Studenten und sehr viele Sozialarbeiter ... es war immer eine sehr gute Stimmung da ... Später dann hab ich als Putzmann gearbeitet, als Koch und als Barmann. Als ich Barmann war, hab ich jemanden kennen gelernt. So ein Typ, der nie Geld hatte ... seine Achtel hat er immer mit Groschen bezahlt und hat mir nie ein Trinkgeld gegeben. Der hat immer sehr gute Schmähs gemacht. Eines Tages hab ich ihn gefragt, ob wir nicht zusammen ein Theaterstück machen könnten. Wie ich erfahren hab, war er Kabarettist. Dann hab ich ihm meine Geschichten erzählt ... und so ist dann das erste Stück entstanden – „Andere Baustelle“ hat das geheißen. Unsere Theaterpartie hieß damals „Fremdkörper“. (Mehmet Emir)

Du bist ein Hahn von einem anderen Misthaufen ... niemand akzeptiert dich als Hahn hier, weil du ein Tschusch bist ... Du bist nicht von da. Ich hab doppelt so viel hackeln müssen, doppelt so gut sein müssen – in der Band genauso. Weil ... es gibt auch genug Österreicher. Du musst alles doppelt sein. Aber irgendwann akzeptieren sie dich dann als Hahn hier. **Wenn du alles doppelt zahlst, kriegst du auch doppelt so viele Erfahrungen, doppelte Ausbildung, doppelte Kraft, doppelten Geist ... alles.** Die, die das noch immer nicht kapiert haben, die schaffen den Durchbruch nicht. Wenn du zum Beispiel Todesangst hast, verdoppeln sich deine Kräfte ... genauso ist das. (Metin Meto)

Als ich mit der Schule fertig war, war ich selbst damit konfrontiert, nicht die Staatsbürgerschaft zu haben und somit **die ganzen Behörden wegen eines Befreiungsscheines abzuklappern** ... da hab ich direkt gespürt, dass ich nicht gleichberechtigt bin. Es gibt den Befreiungsschein für Jugendliche und den Befreiungsschein für Erwachsene, und wenn ein Jugendlicher nach der neuen Gesetzgebung mehr als die Hälfte der Lebenszeit und die Hälfte der Schulzeit in Österreich verbracht hat, kann er den Befreiungsschein für ganz Österreich bekommen ... der ist dann für fünf Jahre gültig und ist nicht konkret auf eine Branche beschränkt. Der Befreiungsschein erleichtert dir den Zugang zum Arbeitsmarkt. Mit der österreichischen Staatsbürgerschaft ist das so, dass dich die Firmen bei der Krankenkasse anmelden müssen und damit hat sich das Ganze ... (Gül Özdemir)

Bis jetzt hab ich keinen Beruf gelernt. Also, selbstständig – Autohandel oder irgendein Geschäft aufzumachen – will ich jetzt zur Zeit machen. Ein bisschen Geld sparen, ein bisschen Kredit von meinem Vater nehmen und selber ein Geschäft machen. Nicht von anderen Leuten bestimmen lassen – mach das, mach das –, das macht mir auch keinen Spaß. Man arbeitet hier acht, zehn Stunden und verdient nichts. Früher war das so – da hat man Stundenlohn zwanzig, fünfundzwanzig Mark gekriegt. Aber jetzt, seit 1990, seit die Ostmauer aufgegangen ist ... ist alles weniger geworden. Die Ossis waren die billigeren Arbeitskräfte und **wir konnten durch die Finger schauen.** (Tevrat)

Hier im Café Prückl hab ich meine erste Fotoausstellung gemacht. Das ist jetzt sieben oder acht Jahre her. Das waren so Porträts aus der Heimat. Porträts von Menschen aus dem türkischen Kurdistan ... aus meinem Dorf dort. Das hat die Leute aber wenig interessiert. Sie haben sich die Bilder zwar angeschaut, aber verkauft habe ich kein einziges. Ich hab überhaupt keine Preise angeschrieben. Nur wenn sich irgendwer für ein Bild interessiert hat, dann hab ich ihm meine Telefonnummer gegeben ... ich wollte nur einmal ausstellen. (Mehmet Emir)

Ich heiße Hatice Akyün. Ich bin 32 Jahre alt und ich bin **Gesellschaftsreporterin** bei der Illustrierten „Max". Ich habe anfangs als freie Journalistin in Duisburg gearbeitet, wo ich auch geboren und aufgewachsen bin. Ich war bei der dortigen Lokalzeitung – bei der Westdeutschen Allgemeinen Zeitung. Während meines Studiums der Betriebswirtschaftslehre hab ich diverse Praktiken bei der WAZ gemacht und später haben die mich dann gefragt, ob ich da nicht frei arbeiten möchte. Ich hab das dann ein paar Jahre gemacht und hab dann ein Volontariat bekommen bei einem Schwesterverlag, und zwar dem Westdeutschen Zeitungsverlag, wo die **„Yellowblätter"** wie Echo der Frau, Neue Welt, Frau Aktuell und die ganzen wöchentlichen Dialogblätter entstehen. Nach knapp einem Jahr hab ich dann einen Anruf bekommen vom Chefredakteur Hajo Schumacher hier bei „Max", und der hat mich gefragt, ob ich für die „Max" arbeiten möchte. Und seitdem bin ich hier. Traum eines jeden Journalisten. (Hatice Akyün)

Ich hab mich bei großen Konzernen beworben, im Marketing und Managementbereich und arbeite auch schon seit eineinhalb Jahren bei KPMG, bei so einer großen Wirtschaftsprüfungsgesellschaft. Ich bin wie gesagt noch als Student bei denen und versuch auch bei denen reinzukommen, aber wegen der konjunkturellen Flaute zurzeit ist es schwierig da irgendwie – weil alle haben Einstellungsstopp ... Dann müsste ich für die zwei Jahre lang durch ganz Deutschland tingeln und dann würden die mich vielleicht in die Türkei schicken, weil die da auch schon expandieren. Ich möchte nicht unbedingt gern zurück, **aber da zu leben ist schon geil, wenn du in der Türkei Geld hast ...** Aber ich würde dann wahrscheinlich tausend Sachen hier missen – die Ordnung, die Sicherheit und all so was ... (Deniz Kumru)

Es gibt viele Betriebe, die kurz vor dem Sommer – in der Hochsaison – viele Lehrlinge am Bau oder im Gastgewerbe aufnehmen, weil die Probezeit für Lehrlinge noch drei Monate beträgt. Früher waren es vier Monate, jetzt sind es noch drei Monate. Diese Jugendlichen dürfen dann in der Hochsaison arbeiten und Ende der Saison, also **noch innerhalb der Probezeit, wird dann die Hälfte gekündigt.** (Ercan Yalcinkaya)

Ich hab gearbeitet in einer Zigarettenfabrik – Philipp Morris. Aber ich wollte nicht mehr. **Am Montag fang ich in einer Pizzafabrik an.** In der Fabrik kannst du bis zu deiner Rente arbeiten, wenn du fest eingestellt bist. Das ist ja auch gut. Drei Schichten, vier Schichten, fünf Schichten kannst du arbeiten. Kriegst auch gutes Geld dafür. Ich habe 3400 DM bekommen.

JOB

Mit Lohnsteuer 1. Wenn man arbeitet, muss man Lohnsteuer haben. Das ist, dass du jeden Monat Steuer bezahlst an den Staat. Deine Versicherung, alles. Das abgezogen ist 3334 DM. Und wenn ich verheiratet wäre, dann hätte ich 4500 gekriegt. **Wenn man verheiratet ist, kriegt man Lohnsteuer 3.** Nicht so viel Abzug. Nein, ich will aber nicht so schnell heiraten. Erst mal Leben genießen, dann heiraten. Einfach nur Spaß haben erst mal. Dann, wenn ich reif bin sozusagen, wenn ich will ... dann geht's schon.

Bevor man mit dem Schauspielen anfängt, da lernt man ja auch, wie man in der Gesellschaft läuft, redet, und so was wird ja hier einem auch beigebracht, und daher denke ich schon, dass das mir in dem Sinne was bringt. **Ich bin durch das Theater auch selbstbewusster geworden,** ich bin ansonsten ein ganz schön schüchterner Mensch gewesen, ich mag es nicht, in der Gesellschaft zu reden und so, aber hier durch das Theater sehe ich schon bei mir da Entwicklungen. (Arzu Isik)

Es ist zwar 'ne **hohe Arbeitslosenrate** hier in Kreuzberg, so 33 %, aber hier lebt jetzt kein Türke auf der Straße, sag ich mal. Hier sind Familienverhältnisse und so, **man hilft sich gegenseitig,** indem man den Leuten halt Arbeit anbietet. Es gibt immer viele Möglichkeiten zu arbeiten. Ich mein jetzt nicht, dass man fest arbeitet. Man braucht oft Leute, die nur für ein, zwei, drei Tage oder zwei Wochen oder so im Café arbeiten, alles nicht auf Steuerkarte, halt so. Aber die Möglichkeit gibt's und die Leute supporten sich gegenseitig, und das ist wichtig, sonst kommt man nicht viel weiter und so, man achtet da schon drauf, dass da alles so unter Kontrolle ist, so. (Volkan)

Ein Ausländer, der keinen deutschen Pass hat, der kann gar nicht viel machen hier, der kann **Stempel drücken** gehen. Aber das will keiner mehr machen. Weil die Eltern haben jahrelang gedrückt ... Jeder will Arzt werden oder ein Polizist oder weiß der Geier was. (Killa Hakan)

Hin und her, Trash, Hip Berlin.

Berlin ist nach wie vor die ärmste Stadt in ganz Deutschland. Also die nach dem Krieg zerstörteste. Es ist die höchste Arbeitslosenzahl überhaupt, 20 %. In ganz Deutschland 9 %, in Berlin 20 %. Es ist die höchste Arbeitslosenzahl für Schauspieler und Schauspielerinnen. (Belhe Zaimoglu, Schauspielerin)

Hier bei Radio Multikulti bin ich in einer privilegierten Situation. In der türkischen Redaktion. **Ich bin Herr meiner Dinge und selbstverantwortlich.** Ich habe auch 15 Leute mittlerweile, für die ich verantwortlich bin. Aber es ist auch eine abgeschottete Welt letztlich. Aber was ich immer gemacht habe: sobald ich draußen war und mit anderen Deutschen, anderen Medien arbeiten wollte, bei deutschen Zeitungen meine Chance versuchen wollte, also nicht als Türke, sondern als promovierter, gebildeter Journalist, der seit 22 Jahren in Berlin lebt, war immer die Aussage: „Ja, Sie können über **türkische Hochzeiten in Kreuzberg** schreiben oder über das türkische Theater." Ich habe diesen Versuch in der Zwischenzeit einfach aufgegeben. Es gibt keine Journalisten türkischer Herkunft in den Medien. Es ist keine Frage der Fähigkeiten oder des Intellekts. Es ist eine Frage der Deutschen und ihrer Angst vor anderen Ethnien, die sie noch immer in sich tragen.
(Cem Dallaman, Radio Multikulti SFB)

BERLINER SZENE: "Diskos, Miskos in Berlin"

Am Wochenende geh ich mal hier trinken, mal da ... unser Boss spendiert uns dann was ... wir gehen in so Diskos, Miskos so ... also türkische, **„Bodrum", „Metro", „Falaffel".** Wir haben Feten so. Nächsten Samstag haben wir eine Fete hier im „Chip". Da werden wir feiern. Aber trinken ist hier verboten. Aber wir trinken natürlich draußen. Kommen rein, machen ein bisschen Partystimmung ..

Die Türken in Berlin sind anders als die Türken in Hamburg oder die Türken in Köln. Die Türken in Berlin, die mögen mehr Soul und R&B-Sachen, und die Türken in Köln und so mehr Vocalhouse und House und in Hamburg mehr Trance und in der Schweiz nur Techno ... ganz komisch ... (DJ H_Khan)

Das "Hadigari":

Ein Bekannter von uns hat einen Laden gehabt und der wusste nicht, was er daraus machen soll. Der hat schon zig Sachen probiert, ein Restaurant und Café und so und so ... Dann kamen wir auf die Idee mit einem Freund zusammen, mit dem Erdem, der war der Hauptinitiator, das wird dieses „Hadigari" **in Anlehnung an den Laden in Bodrum.** In der türkischen Stadt Bodrum gibt's auch ein „Hadigari". Der hat sich schon seit Jahren etabliert; wir haben halt einfach deren Logo genommen, deren Emblem genommen – wir haben das quasi kopiert. Wegen des Copyrights haben die nichts gesagt; die fanden das sogar gut. Ja, und dann ... es lief bombastisch – über ein Jahr lang. Dann hat der Typ – dem der Laden gehört – wirklich viel Geld verdient. Ich hab an der Bar gearbeitet, hab die Promotion gemacht, die DJs besorgt, bla, bla, bla ... (Deniz Kumru)

Und dann gab's auch Schwierigkeiten mit unseren Geschäftspartnern und so ... und dann hat er den Laden verkauft und wir haben den Laden dann – nach einem Jahr – gekauft und das „Hadigari" war dann geschlossen. Nach einem halben Jahr haben wir den Laden dann wieder übernommen und haben daraus dann **„Shakamaka"** gemacht. Wir haben versucht, auch einen türkischen, coolen

Club zu machen – diesmal. Aber der hielt sich auch nur ein halbes Jahr. Das Gute am „Hadigari war, zuerst kamen halt diese guten Leute – unter Anführungsstrichen –, die Pflegeleichten quasi, die ein bisschen elitären Türken, die **ein bisschen gebildeteren Türken, die Schönen und die Reichen quasi.** Und nach und nach kamen dann immer mehr der ganze Kreuzbergstuff, der in Berlin halt hier viel ist, die Freaks, die Gangs, die Gangbrüder und die Brüder, die halt viel Stress machen ... und dann hat der Laden halt immer mehr an Qualität verloren. Und die Leute sind dann abgewandert ins „Bodrum" und dann haben wir uns gedacht: „Machen wir ‚Shakamaka' auf ... ein bisschen edler halt alles, das die Leute ein bisschen älter sind ... halt ein bisschen ein anderes Publikum ..." Das lief dann auch ein, zwei Jahre lang und dann war da auch Sense. (Deniz Kumru)

Das erste "Bodrum"

Nach einem Jahr kamen dann die ersten Nachzügler, weil die Türken sind ja immer so drauf ... die türkische Kultur ist immer so – die kucken immer – vor allem die Geschäftsleute – die kucken immer – wer macht am meisten Business – der und der macht Business, mit dem und dem – also mach ich's auch. Und dann sind sie halt mit auf den Zug gesprungen. Da gab's einen Laden – „Bodrum" hieß das, am Ku'damm war das – speziell für Studenten. (Deniz Kumru)

"Cluuubs ...":

Die machen da das, was sie zu Hause nicht dürfen ... aber ganz extrem – es gibt da auch die Superextremen; die finden da irgendwie keinen Mittelweg. Kommerziell und ein bisschen zu Mainstream – die haben halt einen begrenzten Horizont. Und dann gibt's die ziemlich große türkische Schwulenkultur.

Es gab auch einmal diesen **„Gon-Club"**, der war jeden Sonntag, auch in der Nürnberger Straße, direkt gegenüber von diesem „Tausendundeine-Nacht-Club". Ja ... und da gibt's noch diesen **„Paparazzi-Club"**, direkt gegenüber von diesem „1001". (Deniz Kumru)

In Berlin hab ich im **„Limon"** aufgelegt, der Club wird gerade umgebaut, das machen wir alle Jahre wieder, diesen Umbau. Bevor die Leute woanders hingehen, bauen wir lieber einmal im Jahr um, dann bieten wir den Leuten halt auch was anderes. Dann bleiben die Leute auch treu. Im **„Paparazzi"** war ich, im „Metro" war ich nie. (DJ H_Khan)

Es gibt ein **türkisches Café** in der Nürnberger Straße, direkt am Ku'damm. „Tausendundeine Nacht" heißt das. Das gibt's noch immer. Es wird aber gerade umgebaut – glaub ich –, aber ich glaub, es hat schon wieder geöffnet. Das hat auch ein Freund von mir damals eröffnet. (Deniz Kumru)

Es gibt da ganz verschiedene Türken in Berlin. Die sind so differenziert mittlerweile. Es gibt da diese typischen Studententürken – es gibt mittlerweile superviel Kunststudenten an den Unis –, die haben dann ihren eigenen Freundeskreis und ihre eigene Szene. **Die hängen dann mehr in deutschen Clubs rum ...** in den ganz normalen Szeneclubs wie das „Neunzig Grad", im „Sage-Club" oder „Kings-Club". Das sind unter Anführungsstrichen diese „coolen" Türken, und dann gibt's die ganz andere Szene, die typische türkische Szene halt ... oder diese türkischen Diskos ... (Deniz Kumru)

BERLINER SZENE:

Club: "SO 36" in Kreuzberg:

Da gibt's das **„Gayhane"** – der Schwulen- und Lesbenabend. Und dann das „Shahane Hane", heißt: Shahane ist ein Ausdruck für das Schöne ... also so noch schöner als schön, und Hane ist ein Ort der Begegnung. **Im Türkischen gibt es ja das Mayhane ...** das ist so was wie eine Kneipe, da wird geraucht und Alkohol getrunken, was anderes als noch mal so ein Teehaus. Hat halt ein bisschen so was Verruchtes, und ich hab ja damals abgeleitet von Mayhane eben Gayhane, ein Ort, wo man sich trifft, und dann das Gay vorne hingesetzt. (Fatma Souad)

„Cosmo 36" ist halt mehr für die jungen Leute, da sollen halt Jugendliche hinkommen von den Schulen. Das ist halt immer der Sonntag, weil das immer der beste Tag ist so. Es ist so, dass vor allem türkische Mädchen Schwierigkeiten haben auszugehen, die können halt schwer auf andere Veranstaltungen gehen und das läuft dann immer in den Nachmittagsstunden an. **Die Mädchen können dann zu Hause sagen, ich gehe zu meiner Freundin ...** und dann gehen die aber zusammen aus, und das ist dann immer ganz nett. So ist das halt gedacht. (Fatma Souad)

Ich wohne in der Platte. Karl-Liebknecht-Straße 9. Das ist jetzt Trash und das ist jetzt schick und angesagt, und ich muss sagen, es hat wirklich Vorteile, es ist diese Anonymität. Die hat man hier. Vor allem genieße ich den Ausblick. Ich bin von den Panoramen angezogen. Ich kuck raus, sehe den Fernsehturm, auf den Alexanderplatz. Die Marienkirche, den Bahnhof bis zum Palast der Republik und ich hab einen riesig weiten Himmel über mir. Da wohnten ja früher die Minister der DDR, da brauchtest du ja einen Wohnschein. Das waren hoch privilegierte Leute, die da wohnen durften. **Man hat da zwar nur diese Einzimmerapartments,** aber du hast einen Trockenraum, du hast noch diesen Müllabwurf, wie im Amiland. Ist schon cool. Hat was. (Belhe Zaimoglu, Schauspielerin)

DJ H KHAN: INSPEKTOR CLOUSEAU

Ich wollte mit dieser kriminellen Geschichte, mit den Banden, nie was zu tun haben, da hab ich gesagt, ich bin lieber mit Deutschen zusammen. Ich war so 'n Einzelgänger. **Elf Jahre lang hab ich in deutschen Diskotheken und Clubs aufgelegt** und dann kam ein Angebot, dass ich in 'ner türkischen Diskothek auflegen sollte, aber es gibt ja keine türkischen Platten, es gibt ja nur CDs ... dann hab ich gesagt okay, leg ich nur CDs auf. Es gibt **extra für DJs halt so CD-Player,** die kosten 3000 Mark pro CD-Player und damit kann man wirklich verrückte Sachen machen, was man mit dem Plattenspieler einfach nicht machen kann, und das ist einfach ein Muss.

Seit eineinhalb Jahren leg ich auch in einem Radio auf, bei **Metropol FM als DJ,** ich hab nur ein Zwei-Stunden-Programm da – Samstag, aber ich produzier die halt vor, weil ich ja samstags immer 'nen Auftritt am Abend hab. Zweimal im Monat bin ich auch in Hamburg. Jeden ersten Freitag findet eine Schwulenparty statt ... **„Gay-Orient-Kitchen"** heißt das, das ist für schwule Deutsche und Ausländer. Das ist wunderbar, und seit zweieinhalb Jahren bin ich da, und am zweiten Freitag findet im Schmittheater was statt, und das macht ein Deutscher, der organisiert türkische Veranstaltungen. Der heißt Mario Rispo. Er singt türkisch, er kommt einmal in der Woche nach Berlin und dann nimmt er **türkischen Gesangunterricht.**

Zu der Zeit, als ich noch in deutschen Clubs aufgelegt habe, da gab's ja außer dem türkischen Pop nur die Volkslieder. Das war nicht tanzbar. **Ich war bei Türken sehr bekannt, als ein DJ, der in deutschen Clubs auflegt.** Dann haben die türkischen Clubs mir ein Angebot gemacht. Ich hab gesagt: „Ich kenn gar nichts, was soll ich denn da auflegen?" „Bodrum" hieß der Laden, damals war's auf'm Ku'damm. Das war das real **„Bodrum".** Das andere ist recht schlecht, dieses zweite „Bodrum". Den ersten Abend hab ich da richtig vermasselt, weil ich eben mit türkischem Kram nicht so viel zu tun hatte. Dann hab ich eine Woche trainiert, mir alles angehört, das, was ich kannte, angezeichnet auf den CDs und danach hab ich brillant aufgelegt.

Meine **Spitzengage war mal 5000 Mark,** das war mal auf'm Silvester für 3000 Leute, in Köln war das gewesen. Und dann mal 3000 Mark wieder in Köln. Das war im **„Palladium",** da waren 4500 Leute auf 'nem Kahn, hab ich da Musik gemacht am Fabrikgelände ... **aber durchschnittlich ist es so zwischen 1500 und 2000 Mark so.** Aber bei einigen ist da Unterkunft und Fahrt mit drin ... einige müssen noch dazuzahlen ... das ist je nach Freundschaft.

DJ H-KHAN:

Ich hab außerhalb von Berlin gemerkt, dass Partys besser funktionieren als Clubs. **In Berlin ist es umgekehrt, da laufen nur Clubs und keine Partys.** Dann hab ich gesagt, wir müssen das auch hier in Berlin machen. Dann haben wir gesagt: Wir müssen eine Location haben, wo wir die Leute auch wirklich anziehen. Und Mario hat dann dieses Zelt gefunden, dieses **BKA-Luftschloss.** Unsere erste Party hat allen Leuten so gut gefallen ... die Shows. Und da hat auch der **Mario, der ja Deutscher ist, mit seiner Band türkisch gesungen, ist blauäugig und blond, und der Gitarrist ist ein Schwarzer, rote Haarfarbe, und gesungen hat eine Frau, die kommt aus Aserbaidschan, und der Schlagzeugspieler war ein Deutscher gewesen, es war kein Türke in der Band, aber diese fünf Leute haben türkische Lieder gemacht.**

TÜRKISCHE CLUBBINGS: „Mehr Feuer im Spiel"

Ich mein, das fing alles mit der Entstehung von türkischen Musikläden an, die türkische Musik als Import von der Türkei verkauft haben. Ich sag mal, der erste wirklich große Schub begann Anfang der 90er Jahre als Reaktion auf diese **restriktive Diskothekenpolitik**, wo keine Ausländer mehr in Clubs reinkonnten. Das hat ja hier in Berlin ganz stark vor allem die Türken betroffen, wo dann die ersten türkischen Diskotheken entstanden sind. Da war 1991 das „Hadigari", das zwei Jahre lang sozusagen dieses Feld in ganz Deutschland auch vorbereitet hat. Und dann ging es Schlag auf Schlag. (Ozan Sinan)

Und nach und nach gab's mittlerweile schon zehn, fünfzehn, zwanzig türkische Clubs in Berlin. Jetzt gibt's nur noch drei oder so. „Metro" ist das Hauptding; das hat auch Erdem, der vom „Hadigari", gemacht – also mit aufgebaut. (Deniz Kumru)

Dann gibt es natürlich schon auch das Ghetto von Jugendlichen aus der Türkei, die diesen türkischen Kontext nicht verlassen. Tatsächlich nur auf türkische Clubbings gehen, tatsächlich nur in türkische Kaffeehäuser gehen ... muss man sich auch anschauen und fragen, warum entstehen diese Ghettos ... Ghetto muss ja nicht unbedingt immer etwas Negatives sein. Natürlich, aus sozialpädagogischer Sicht hätten wir gerne ein Aufbrechen, ein Durchmischen, aber es ist so und **Ghetto gibt ja auch Schutz.** Ich könnt in den letzten zehn Jahren sicher an einer Hand abzählen, wie oft ich allein irgendwo hingegangen bin. Das gehört nicht zu meiner Lebensart. Allein auf irgendein Fest zu gehen oder in einen Club zu gehen. Wir

sind so. Das ist dann halt Teil unserer Mentalität. Wir sind sehr soziale Menschen und sind immer in unserem Freundeskreis oder unserer Clique unterwegs. Es gibt ja auch persische Clubbings, arabische Clubbings ... man bleibt dann einfach unter sich, aber das hat dann auch seine Legitimation. (Hikmet Kayahan)

Also, mit österreichischen Freunden ist weniger zu unternehmen, weil ich seh sie halt einmal im Monat, aber **die türkischen Freunde, mit denen bin ich fast jedes Wochenende zusammen.** Also, wenn ich gerade einen österreichischen Freund so sehe und es ist gerade Sommer und dann spreche ich ihn drauf an, ob wir ein Fußballspiel machen oder irgendwas zusammen unternehmen, sei's Fortgehen ... einfach ihn spontan anrufen und sagen, he kommst du mit und so, wir unternehmen heute was und ob er auch Lust hat. Aber es ist weniger mit den österreichischen Jugendlichen, was ich unternehme. Weil sie doch andere Interessen haben als die türkischen Jugendlichen oder so. Zum Beispiel bin ich gerne ein Besucher von türkischen Nächten usw., und da kann sich doch ein Österreicher weniger damit identifizieren, türkische Musik zu hören oder dazu zu tanzen. (Ali Yigit)

Ich war im Palais Eschenbach ... ich hab mich dort irrsinnig unwohl gefühlt ... In Wahrheit ist da so eine Ghettostimmung ... du gehst da rein und da sind wirklich nur Türken ... oder Kurden. Es ist furchtbar ... irrsinnig viele junge Burschen, die stehn nur rum ... die tanzen nicht einmal ... die schaun nur die Mädchen an. Die Mädchen da sind irrsinnig aufgetakelt – die haben ein irrsinniges Modebewusstsein – im Gegensatz zu den inländischen Jugendlichen. Ich glaub, die geben schon mehr Geld aus für Gewand als die Inländer ... **Wenn die dann tanzen, tanzen die alle gleich ... im selben Rhythmus und so ... das ist irgendwie so künstlich.** Ich geh lieber in den „Volksgarten". (Zehra)

Wenn du als **türkisches Mädchen solche Clubbings besuchst**, dann bist du irgendwie ... die reden dann halt über dich ... vorher war ich immer nur die Freundin des Veranstalters ... da war das egal. Aber immer wenn ich ohne Kenan irgendwo aufgetaucht bin, haben sie über mich geredet und Vorurteile gehabt. Die drei letzten Monate war ich in der Türkei – hab einen Tapetenwechsel gebraucht ... weg von hier. Davor bin ich immer samstags im „**Volksgarten**" gewesen. Da waren hauptsächlich Österreicher ... fast keine Türken. **Da kannst dich amüsieren, ohne beobachtet zu werden.** Vielleicht besuch ich in nächster Zeit wieder einmal eine türkische Veranstaltung, weil es schon irgendwie lustig ist, bekannte Gesichter zu sehen und Freunde zu treffen. Aber der Hintergedanke ist immer da ... wenn ich jetzt wieder auftauche, werden die Leute sagen: „He, die ist schon wieder da ..." Das mag ich nicht gern ... wenn Leute über mich reden und sich in mein Leben einmischen. **Niemand hat das Recht dazu.** (Zehra)

Ich trink nicht so viel, nur bei Feiern. Sekt oder Bier. Meine Freundin trinkt viel. Die trinkt Wodka, Bier, Gin-Tonic, ich hab einmal Gin-Tonic getrunken, ich hab geglaubt, mir fliegen die Augen raus. Das schmeckt mir nicht, da wird dir nur schlecht von so viel Saufen. **Red Bull trink ich gerne.** Da kann ich nie genug kriegen. (Sibell Temel)

Am Wochenende, da geh ich gerne mit Freunden weg. Letztens war ich in einer türkischen Disco, auf der Donauinsel; die heißen „**Octopus**" **und** „**Bosporus**", **und** „**Eurolife**" gibt's auch noch, dann gibt's noch „Antik", die letzten zwei sind im 10. Bezirk. Dort geht's ganz schön heftig zu, es wird getanzt ... Das sind türkische Diskos und hauptsächlich Jungs und nur so zehn Mädchen. Es ist gut, dass ich mit vierzehn weggehen darf, meine Eltern sind nicht streng, überhaupt nicht. (Orkidee Gedik)

Bei türkischen Clubbings ist mehr Feuer im Spiel, so flirtmäßig. Ich weiß nicht, ob das an unserer Mentalität liegt, du brauchst einmal nur diejenige anschauen, dann weißt du sofort. Und vor allem, dass die Leute immer mitsingen ... ich hab einmal einen Song angefangen und dann ausgeblendet, und bis zum Schluss, **die haben alles mitgesungen, 700–800 Leute.** Richtig schreiend, das war nicht mal mehr schön. Und alle haben sich selbst applaudiert am Schluss. Die Typen sind machomäßig, das stimmt. Viele wollen mit ihren Autos imponieren, angeben ... **Was ich abartig finde ist, der Junge lernt sie mit kurzem Rock kennen und es gefällt ihm und wenn sie dann zusammen sind, will der nicht mehr, dass sie kurze Röcke trägt.** Das ist echt abartig. Meine Freundin ist oft unsicher, wenn sie was Aufreizendes anziehen soll, dann fragt sie mich und ich sag ihr: „Klar, zieh das doch an." Ich mag das, wenn sie so gewagte Sachen anzieht. (DJ H_Khan)

Meine Veranstaltungen heißen alle „**Bodrum-Nights**". **Bodrum ist eine Stadt in der Türkei.** Ich habe eigentlich nicht mit dem Namen Bodrum angefangen, sondern mit dem Namen „Hali Karmas"... so haben meine ersten Veranstaltungen geheißen. „Hali Karmas" ist eine Freiland-Diskothek in Bodrum. Das ist die drittgrößte Diskothek in Bodrum – gleich am Meer. Nach drei oder vier Veranstaltungen haben wir Probleme bekommen, weil es ein Restaurant im fünften Bezirk in Wien gibt, das so heißt. Das hat uns Schwierigkeiten gemacht ... Den Ort Bodrum kann man vergleichen mit Ibiza, mit Mykonos oder mit anderen solchen Partystädten. (Kenan Babyigit, Veranstalter Club Bodrum Wien)

„Mehr Feuer im Spiel"

TÜRKISCHE CLUBBINGS

Meine erste Party hab ich im „Kataluna“ gemacht. Das war 1994. Da waren wir zu dritt. Da sind so um die fünfhundert Leute gekommen ... die Atmosphäre war super. **Wir waren draußen im City Club.** Wir haben da so ein Shuttle-Service gemacht – vom Schwedenplatz weg. Es war wirklich sehr erfolgreich ... verdient haben wir aber nichts. Richtig angefangen hab ich dann 1996. **Im Sommer im Stadtpark ... beim „Kursalon“.** Das hab ich dreimal gemacht ... Da sind so durchschnittlich 150 bis 200 Leute gekommen. Später, im „Kursalon“ selbst, haben wir dann großen Erfolg gehabt. Da sind so um die tausend Personen gekommen ... Danach haben wir die „Sophiensäle“ gemacht ... **„Palais Liechtenstein“**... So ist das dann weitergegangen. (Kenan Babyigit)

Aus Wien hab ich drei fixe DJs ... Die heißen DJ Simarik, DJ Sky und DJ Ege. Die sind immer bei meinen Veranstaltungen dabei, und aus Bremen kommt ab und zu DJ Alem und aus Berlin war schon Aziza A dabei – das ist so eine Hiphop-Sängerin... Beim zweiten „Hallamasch-Festival“ (Festival der Kulturen) war Erci E, ... das ist auch so ein DJ und Hiphop-Sänger usw. (Kenan Babyigit)

TÜRKISCH POP & ROCK:

„ENGLISCHE LIEDER VERSTEH I NET"

Am Anfang war das „Hadigari" super ... alle fanden es schön – Türkisch Pop und Hiphop. DJ Alchi hat aufgelegt. Er war unser erster DJ – der hatte damals noch keine Ahnung gehabt von türkischer Popmusik. Damals fing diese türkische Popgeschichte in der Türkei auch an – dieser Trend. Da hat er angefangen, sich massenhaft CDs zu kaufen und hat sie da eingespielt. Dann hatten wir noch einen zweiten DJ – DJ Merique hieß der. Das war dann unser zweiter DJ ... **der war halt für R&B und Black Music zuständig.** Aber der hat sich auch schnell eingelebt – in diese türkische Geschichte. Bei den türkischen Jugendlichen kam das super an, weil es einfach ein Heimatgefühl vermittelt hat. All die Zeit, die sie im Sommer hatten, in der Türkei – die sechs Wochen im Sommer in den Clubs – hatten sie halt auf einmal hier auch und fanden es super und kamen nur zum Feiern und zum Trinken. **Da hat echt die Bude geraucht – bis zum Gehtnichtmehr.** (Deniz Kumru)

Jetzt hören alle die gleiche Musik. Es ist nicht mehr so, dass die Türken nur türkische Musik hören, oder so ... Auch wenn sie sich diese Hits aus der eigenen Heimat anhören, sind das alles Lieder mit europäischen Hauptelementen ... oder mit Hiphop-Elementen geschmückte Sachen ... Aber die Musikgeschmäcker verändern sich auch sehr schnell. Was sie sich vor einem Monat angehört haben, das ist im nächsten Monat schon wieder ganz anders. **Auch die Lieder aus der Heimat sind eher so Popsachen.** (Mehmet Emir)

Türkische Clubbings oder türkischer Hiphop? **Nein, das ist nicht so meine Welt.** Dieses Hiphop-Zeug mag ich sowieso nicht, egal ob von Deutschen oder von Türken. Was ich halt sehr gerne mache ist, wenn ich in der Türkei bin – meine Schwester lebt in der Türkei –, dass ich außerhalb von Izmir in diese Touristengegenden fahre und dort in diese türkischen Diskotheken gehe, wo sie halt auch so türkische Musik spielen. Das würde ich hier in Deutschland nie machen. Ich hab auch keine türkischen CDs zu Hause ... von Tarkan oder so. Aber da macht das Spaß. **Irgendwann kann ich die Lieder dann auswendig und tanze dann auch ganz normal mit.** Und auch die Sprache – ich spreche perfekt Türkisch –, weil ich halt auch mit meinen Eltern Türkisch spreche; mit meinen Geschwistern witzigerweise Deutsch

– weil's schneller geht. Es ist halt nicht so, dass ich sehr aktiv bin in der türkischen Kultur **... ich mach halt das, was mir Spaß macht.** (Hatice Aykün)

In den 80er Jahren ist so eine Musikkultur entstanden, so eine gemischte Musik aus dem Arabischen und dem Türkischen. Das sind alles so **krasse Liebeslieder.** Da gibt es so einen „King of Arabes" – „Muslim Baba" hat der sich genannt. Auf seine Konzerte gehen die Leute mit Rasierklingen hin, und wenn der zu singen beginnt, **dann beginnen die sich mit ihren Rasierklingen selbst zu schneiden** ... in der Türkei. Es ist auch vorgekommen, dass aus einem Zimmer seine Musik zu hören war und dass der Mensch in diesem Zimmer – bei seiner Musik – **sich in den Kopf geschossen hat.** (Ercan Yalcinkaya)

Wir haben eine Gruppe gegründet und da hab ich dann halt auch so zwei oder drei Tracks gemacht, das haben wir dann auch so in der Türkei veröffentlicht und ja, die Musik war R&B türkisch. Aber R&B muss man sagen, die ja jetzt hier so in ist, die ist komischerweise in der Türkei nicht so in. **Die Gruppe hieß damals „Elgin", heißt übersetzt „von ihrer Heimat entfernt" sozusagen.** (Koray Tolas)

„Faruk" war mal früher ein Tänzer für eine Sängerin, für Joshe Elcemik, und heuer hat er ein Album rausgebracht **„Aser, Aser"**; er war im „Metro", er macht so türkische Pop-Sachen und ist schwul und ist aus der Türkei. Er ist ein Newcomer. Die Preise für Sänger aus der Türkei sind sehr hoch. Mittlerweile wollen die bis zu 70.000 Mark und mehr haben. **Bei Tarkan 150.000 Mark, da kannst du nur mit großen Sponsoren mithalten.** (DJ H_Khan)

Auf Konzerte gehe ich auch gerne. Diesen Monat kommt zum Beispiel **„Cengiz Kurtoglu".** Der hat so sehr dramatische Lieder. Ich hör aber viele gern, muss nicht unbedingt der sein. Wenn ein guter Sänger kommt, geh ich. (Sibell Temel)

TÜRKISCH ROCK

Ich bin der Murat und bin **Schlagzeuger bei den „Stoneheads".** Vor zehn Jahren habe ich zufällig den Gitarristen der Band kennen gelernt. Wir haben in einer ganz normalen Metalband zusammen gespielt. Und durch einen sehr guten Freund hab ich erfahren, dass es Jugendliche gibt, die in Wedding, also in einem Bezirk, wo es viele türkische Mitbürger gibt, ähnliche Musik machen. Wir haben uns dann getroffen und bald entschlossen, zusammen türkische Rockmusik zu machen. Am Anfang auch mit englischen Texten, und wir haben dann aber bald gemerkt, dass wir mit türkischen Texten auch ganz gut ankommen, dass das gerade den Deutschen besser gefallen hat, dass das besser rüberkam. Und dadurch haben wir uns entschlossen, eine türkische Rockband zu gründen und haben dann bald auch gemerkt, dass es was Besonderes ist. Viele türkische Jugendliche in Deutschland hören nichts Härteres. **Die gehen eher in die Schiene Rap und Hiphop, oder die türkischen Jugendlichen, die hier leben, hören eben nur „Tatlises" ... Heulmusik ...**

Leute, die in der Türkei Rockmusik machen – für uns ist das fast schon Pop. Also Rockmusik in Europa, zum Beispiel „Bon Jovi" oder „Kiss", ist härter als die Rockmusik in der Türkei. Wir sagen daher, dass wir Rockmusik machen, aber grade für die türkischen Mitbürger muss man sagen, **wir sind Metal** ... weil die sich unter Rock was anderes vorstellen, eben was Weicheres. Wir können heute brachialer sein. Wir sind die Vorband einer sehr bekannten türkischen Rockband aus der Türkei, von **„Halug Levent"** eben.

Wir haben auch orientalische Einflüsse in unseren Liedern. Zum Beispiel, dass die Gitarren alte türkische Melodien spielen, die wir dann noch verändern. Es gibt eine sehr gute Metalband in der Türkei, **„Mezar Kabul“**, die sind sicher irgendwie Vorbilder von uns, zu denen haben wir auch einen guten Kontakt.

Die Texte sind so 'ne Sache: die Mutter unseres Gitarristen ist Türkischlehrerin und schreibt seit 20 Jahren Gedichte. **Als wir angefangen haben, haben wir gesehen, dass türkische Texte schreiben gar nicht so leicht ist, da haben wir angefangen, ihre Gedichte als Texte zu verwenden, und haben gesehen, dass es sehr, sehr gut ankommt.** Da sind viele Anfragen gekommen, wie und wer schreibt denn eure Texte und das ist ja genial, und so hat es eigentlich angefangen, und inzwischen sind wir so weit, dass wir eigene Texte schreiben. Es gibt Liebestexte, Texte gegen Rassismus, es gibt Texte, die einfach die Situation in Deutschland beschreiben, die Kultur der türkischen Jugendlichen, Vorurteile, aber das heißt nicht, dass wir als Gruppe was Politisches ausdrücken wollen, das ist einfach nicht unser Ziel. Unser Ziel ist, gute Musik zu machen und gute Texte zu schreiben.

Eigentlich nennen wir uns ja auch so die **einzige türkische Rockband Deutschlands** ... wir haben zwar ein, zwei Leute, die auch so 'ne ähnliche Musik spielen, aber wir kennen jedenfalls in Berlin keine einzige Band, die türkische Rockmusik so in dem Stil macht. (Murat Aydin+Band)

Dann gibt's ja auch **„Devil Inside“**, das ist so türkischer Ghetto-Metal, wir nennen das halt so. Mit so heavy Gitarren, teils gerappt, teils rockig gesungen und so und teils die Stücke auf Türkisch, aber hauptsächlich auf Deutsch und so. Wir haben auch so 'ne Underground-EP und wollen jetzt auch größer hinaus und so. Unser Label ist **„Rough Mix Recordings“**, wir machen total türkisches Konzept so, wir versuchen aus unserem Umfeld halt die Leute mit einzubeziehen und mit denen was zu machen. Ich spiele bei denen Bass. Wir sind dort fünf Leute. Drei Türken, ein Halbspanier, ein Deutscher. (Volkan)

WIENER SZENE:

IN WIEN WIRD'S NOCH LANGE DAUERN

In Deutschland, da gibt's die Jugendlichen, die rappen und so ... das find ich viel ehrlicher. Die haben wenigstens einen eigenen Stil gefunden. Aber bei uns ist das immer nur ein Kopieren von irgendetwas ... deswegen gibt's bei uns auch **keine Musikbands ...** Die paar Jugendlichen, die sich mit Musik beschäftigen, die kopieren irgendeinen anderen Sänger, der in der Türkei grade in ist ... (Resul und Hakan)

Für die Wiener Szene würd ich mal sagen, die gibt es so nicht, sondern es gibt Szenen. Es gibt die Techno-Szene, es gibt die Hiphop-Szene, und alle anderen Erfahrungswerte gehen zurück auf: ich kann zwar Hiphop angezogen sein, aber Techno hören ... 100 verschiedene Richtungen. Das Gleiche ist natürlich auch gültig für die türkische Kultur. Da gibt es halt die Intellektuellen, die viel lesen und diskutieren und ins Kaffeehaus gehen, dann gibt es die, die nur „Bodrum-Nights" besuchen. Aber auch ich geh manchmal zu türkischen Clubbings und tanz mir einen ab – hin und wieder. Aber ich würd mich nie zur Dancefloor-Szene zugehörig fühlen. Mein Gott, wir hören auch nicht den ganzen Tag **„Radio FM4"**, sondern auch mal **„Radio Orange"**, und wir essen auch nicht jeden Tag **Wiener Schnitzel, sondern auch mal Baklawa** dazwischen. (Hikmet Kayahan)

Das macht das **„Gerngross“,** das Lokal im 6. Stock oben, ja interessant, dass **österreichische Jugendliche herkommen, obwohl's ein türkisches Lokal ist,** aber der Besitzer veranstaltet interessant, weil er auch österreichische Lieder, verschiedene englische Lieder spielen lässt und dabei auch türkische Lieder ab und zu kommen. Das macht's interessant für alle hier zu sein. (Ali)

Wenn ich hier im 10. Bezirk weggehe, gehe ich in Jugo-Lokale. Zum Beispiel ins **„Tabana“** oder ins **„Sleepers“** – das ist ein türkisches Lokal ... das ist so hiphopmäßig ... da kommen Österreicher auch ... dann gibt's noch das **„Orchidee“** ... das **„Tip-Top“** und das **„Café Dany“.** Manchmal gehen wir auch ins „Titanic“, das ist aber im 6. Bezirk. (Resul und Hakan)

Wenn man **in Wien** in ein Lokal reingeht, gibt's immer nur Probleme, weil wir alle kennen, und wenn's **Stunk** gibt, müssen wir unsere Freunde verteidigen ... meine Freunde suchen aber mittlerweile Orte, wo man keine Kopfschmerzen bekommt ... wo uns keiner kennt. Im ersten Bezirk – am Schwedenplatz – **„Café Kaktus“**... das ist so ein österreichisches Lokal. Dann gibt's das „Köö“..., dann gab's dort einmal das „P1“. Einmal wollten wir da reingehen und der Pepe – das ist der Türsteher da –, der hat gesagt, wir dürfen nicht rein. Er hat gesagt, dass vorige Woche die Ausländer einen Wickel gemacht haben und es dürfen keine mehr rein. **Der hat dann eine Watschen gekriegt.** Nächste Woche sind wir dann wieder hingekommen ... da hat er uns reingelassen. (Resul und Hakan)

Und dann irgendwann hab ich **„MC Sultan“** mitbegründet. 1994/95 war das. Özden, ein Freund von mir, **beide waren wir „Saz“-Spieler** in Wien und haben dann rasch das Angebot bekommen, weil man eben so Leute gesucht hat, bei der Gründung bei „MC Sultan“ dabei zu sein. Proben und irgendwann einmal Auftritte und Studioaufnahmen bis zur ersten CD. Ich hab Saz zu Hause gelernt. Kurse hat man hier noch nicht machen können. Mein Vater hat das auch gespielt, dann hab ich Notenunterricht bekommen und ja ... (Umut Akar)

„MC Sultan und die Kadeifs“ haben wir damals geheißen. Kadeif ist eine türkische Süßspeise, und Kadeif bedeutet eigentlich auch **Mischmasch.** Da sind irgendwelche Sachen einfach zusammengemischt, wo das Ende und der Anfang nicht genau bestimmt werden kann. Mario Kamien hat die Idee gehabt, glaub ich, mit Dzihan zusammen ... ich hab bei der ersten CD fast als Gastmusiker mitgespielt. Die Lieder waren eigentlich schon da. (Umut Akar)

Das Anfangslied damals hieß **„Akadash“,** das heißt Freund und da geht's um einen, der abgeschoben wird in die Türkei. Und solche Sachen halt. Die Texte waren deutsch, englisch, italienisch ... gemischt. Kein türkisches Lied. Rassismusthemen und so ... der Verkauf der CD war gar nicht schlecht und angekommen ist es auch gut ... Plattenfirma hat's bei der ersten CD keine gegeben, da ist alles selbst produziert worden. (Umut Akar)

OCTOPUS
05.10. Cuma günü AZER BÜLBÜL
Saat 21:00'den itibaren
Canlı Müzik Eşliğinde
OCTOPUS'da
sizlerle!!!
Giriş:
100 ATS

Es waren sechs bis sieben Leute dabei. Es ist fast alles live gespielt worden, Schlagzeug, Keyboard, E-Gitarre, so halt. **Die CD-Präsentation haben wir im „Café Europa“ gehabt,** wir sind so überall aufgetreten.
(Umut Akar)

PARKKULTUR

Ich hab immer so Freunde gehabt, tja, ich kann mich da an ein paar erinnern, wie z. B. die „**BLUE FAMILY**" hat's gegeben, das waren nur türkische Jugendliche, die sich „Blue family" genannt haben, und dann hat's noch gegeben die „Red Stars" oder so vor zehn Jahren, ich kann mich da nicht so genau erinnern ... Also die hat's gegeben, **DIE HABEN SICH IMMER VOR DEN ÖSTERREICHISCHEN JUGENDLICHEN GESCHÜTZT.** Also vor den Skinheads und so weiter. Weil da hat's andauernde Raufereien gegeben am Reumannplatz meistens, am Prater hat's auch immer Raufereien gegeben, Schlägereien und so ... Ich war da nie beteiligt. Mich hat das nie interessiert. (Osan Önal)

ICH GEH MIT MEINER SCHWESTER WEG. Da gehen wir in den Park, weil sie so gerne in den Park geht. Und sonst gehen wir zum McDonald's. Wir gehen in den 16. Bezirk in den Park. Der eine heißt „Ludo-Hartmann-Park" und der andere ist der „Märzpark" gegenüber von der Lugner City. (Meltem Acar)

WIR MÄDCHEN SIND IMMER NACH DER SCHULE IN DEN PARK GEGANGEN, sitzen dann dort und reden. Wir reden da über Jungs, über Probleme. Wir reden halt über die Jungs, in die wir verliebt sind. Man wünscht sich halt immer einen Jungen, der perfekt ist, aber so einen gibt's eh nicht. Er sollte großzügig, nett, hilfsbereit, gut aussehend sein, einen guten Charakter muss er haben. Ich würde mich auf keinen Fall einsperren lassen, mit so einem würde ich auch nicht zusammengehen. **ICH HAB ZUM BEISPIEL FREUNDINNEN, DIE KOPFTÜCHER TRAGEN,** das gehört halt zur Religion oder zu denen. Ich find das unnötig. Einige machen das freiwillig, die tragen das Kopftuch freiwillig. (Orkidee Gedik)

IM 10. BEZIRK, WO UNGEFÄHR 10.000–12.000 TÜRKEN WOHNEN. Dort bin ich aufgewachsen. Bin auch dort zur Schule gegangen. Das ist die Dampfgasse – das ist eine Sackgasse. Und gleich vis-a-vis von unserem Haus ... da gibt es einen Park, der sich **WALDMÜLLER-PARK** nennt. Das ist so ein ganz großer Park ... und die meisten türkischen Jugendlichen haben sich immer dort versammelt und dann haben wir jeden Tag Fußball gespielt, jeden Tag. Und am Samstag, Sonntag sind immer die Älteren gekommen. „Abi" heißt hier bei uns der ältere Bruder. Der Muchacha. Unter der Woche, da haben wir gespielt, und am Samstag, Sonntag haben die Älteren immer gespielt und da haben wir zugeschaut. Und das hat sich dann immer so geändert halt. Dann sind wir halt älter geworden. Und dann haben sich die Kleinen uns angeschaut. ... **VOM 12. BIS ZUM 17. LEBENSJAHR.** (Osan Önal)

DJ ERDEM TUNAKAN: ELEKTRONISCHE MUSIK FLASHT

Z. B. meine Mutter hat ein Kaffeehaus besessen und da war aus irgendeinem Grund von "Kraftwerk" die Radioaktivitätssingle drin und die Rückseite war „Antenne", und wenn der Laden zu war, hab ich mir immer wieder diese beiden Tracks reingedrückt, weil ich nicht verstehen konnte, wie so was klingen kann, und dann gab's die Initialzündung. Drei weitere Tracks haben mich extrem angeflasht, das war das „Model", „Pink Gold" von Human League und die Rückseite von „Eisbär" von der Gruppe Grauzone. **Damals war ich halt voll Mod mit Parker und allem,** da war ich dann im Move und so.

„Dum Dum" Records ist in Wien am Opernring beheimatet. **Das war eigentlich der erste DJ-Plattenladen** in Österreich, wo auch die Leute aus den Bundesländern bestellt haben und wo jeder DJ und jede Diskothek ihr eigenes Fach hatten – so ganz Old School. Damals war ich so 17/18 Jahre alt. Da hast einmal irgendwie am Wochenende im **Atrium** aufgelegt und dann gab's halt so ganz kleine Clubs ... das gab's ja damals alles noch nicht so, mit Booking und so. Und wir haben dann auch unsere Platten gekauft beim Markus Wagner, der heutige **Makossa Fm4-DJ,** und beim Rauhofer. Das Label und der Shop haben dem Wolfgang Strobl gehört. Dum Dum war auch eins der ersten Underground-Labels könnte man sagen in Wien. Das 80er-Zeug hat man da halt gekauft, was halt so hipp war – „Unknown Cases", „Talk, Talk-Maxis" und „Yellow", „Matt Bianco" ... „Bomb the Bass" und „Soul II Soul" haben wir massenweise gehabt. Am Samstag beim Nachmittagstee und freitags manchmal hab ich im Atrium aufgelegt. Das Atrium war lange Zeit, von 81–85, eine ziemliche Mod-Disco, und so 85/86, da kam dann kurz einmal ein Loch, da waren die Leut gar nix mehr, da hat sich's

DJ ERDEM TUNAKAN

angefangen aufzulösen irgendwie, da gab's dann Italos, vielleicht nach der ganzen Skinhead-, Mod- und Popper-Welle. **Es gab damals ja keine DJs in dem Sinn** ... so Sven Väths oder so was gab's ja nicht. Da hat grad der Rauhofer und der Makossa im Club „U4" aufgelegt, und das waren so meine Anhaltspunkte, **es gab damals dieses Clubbing-Zeug nicht.**

Den **Patrick Pulsinger** hab ich über den Konstantin Peyfuß kennen gelernt. Wir haben dann am zweiten Tag gleich Musik gemacht und das haben wir aufgenommen auf DAT und gleich released. Da hat's gleich gefunkt sozusagen. Wir haben das auf „Abuse Industries" rausgebracht. Das war nur so für unsere Freunde. Das war so um 1990 herum. Man kann nicht sagen, dass das irgendeinen Stil gehabt hat. **Das war einfach output.** Es ist zwar in die Richtung von „Orb" und „Klf" gegangen, aber man könnte eben nicht sagen, das war Ambient oder so.

Der Patrick war dann eine Zeit in New York und **dann haben wir beschlossen, ein Label zu machen.** Weil da hat jeder Einzelne schon so viel Musik gemacht gehabt und gemeinsam auch schon ein paar Sachen herumliegen gehabt, und das war dann wie bei der Pilot-CD, wir wollten das einfach mal releasen. Da haben wir dann zwei Labels gegründet. Das eine war eher für die Elektro-Haus-Ecke, das war „Cheap", und das andere hätte so ein Elektronik-Pop-Label werden sollen, das war dann „Morbid".

Zum Musikmachen bin ich eigentlich über die **Filmmusik** gekommen. Ich hab gewußt, dass ich ein Equipment haben will, das hab ich dann auch gekauft. Für „Fleischwolf", eine Gefängnisdoku, und für „I Love Vienna", ein ziemlich kommerziger Film mit der Schmidinger und so, und dann gab's noch zwei andere Filme ... für die hab ich halt so Filmmusik gemacht.

1995/96 ist dann so richtig viel geworden. Es gab so Abuse Industries Clubabend-Serien ... auch in der **"Camera"**, und zwei weitere Serien gab's dann im „Porgy & Bess", das war dann die Zeit, wo wir DJ Hell und so nach Wien geholt haben. Da gab's dann auch die **"Cheap und Clear-Tour"**. Da haben wir eben mit dem Londoner Clear-Label 14 Dates gespielt. Komplett durch Deutschland, Schweiz und Österreich. Das war die Tour, die Dr. Rockit oder Matthew Herbert sehr bekannt gemacht hat. Von der Musik leben ... seit ich angefangen hab, Filmmusik zu machen. Ich hab immer wieder meinen Vater anpumpen müssen, sagen wir so.

Ich würde es **gut finden, wenn die Regierung mehr solche Dinge** fördern würde, weil ja alle daran verdienen. Ich glaub, dass der Bekanntheitsgrad von Kruder & Dorfmeister im Ausland wichtiger ist als von den Seespielen in Mörbisch z. B.

Wir haben viel in München und in Berlin gespielt oder in London, in San Francisco und in New York, auch in Japan. In Berlin im „DMF" sehr viel. In Wien im „Flex" – das war sehr wichtig. In Istanbul haben wir auch schon gespielt mittlerweile beim Jazz-Festival. Bei der ARS-Electronica und **beim steirischen herbst in Graz.** Zusammen gespielt oder Projekte gemacht haben wir mit dem Gerald Potuznik, eben mit Konstantin Peyfuß, der Dorfmeister hat mal bei uns Querflöte gespielt ... mit der **Electric Indigo** haben wir zwei Platten gemacht.

Die **Liz King** von der Volksoper hat uns gefragt, ob wir Interesse haben an einer **neuen Inszenierung von Schwanensee,** und sie will irgendwie auch Tschaikowskys Musik verändert haben ... dann haben wir gesagt, ja, das klingt interessant und dann hat sie uns irgendwie so Tschaikowsky-Samples mit Jungle Beats vorgespielt und dann haben wir gesagt, wenn wir es machen, dann machen wir es so, wie wir uns denken ... weil Jungle und Tschaikowsky ist ja komplett aufgesetzt, Streicherloops, das ist ja fürchterlich. Dann haben wir einen Demotrack gemacht, wie wir uns das vorstellen, und dann haben sie gesagt, super, macht mal ... und so ist Schwanensee entstanden eigentlich. **Schwanensee Remixed** ist das Stück und wir haben die Musik zu dem Ballett gemacht. Das war super, das war eigentlich das erste Mal, dass so was gemacht wurde, **ich kenn nix, wo Klassik und Elektronik so verschmelzen wie bei Schwanensee.** Es gibt schon so Sachen wie Friedrich Gulda und Sven Väth, was aber fürchterlich grauslich ist. Die Tänzer hatten am Anfang irre Schwierigkeiten, bei den schnellen Passagen mitzutanzen, aber das hat sich dann ganz schön eingespielt. Wenn die Volksoper immer so ausgelastet wär, dann wär sie nicht so defizitär. Aufgrund der Schwanensee Remixed-Oper hat dann die Volksoper auf unsere Anregung hin ihr eigenes Label gegründet.

ELEKTRONISCHE MUSIK FLASHT

Stars und Sternchen

Der türkische Schauspieler **Kadir Inanir** (50) ist super, der ist so ein Machotyp, die Frauen stehen auf diesen Mann, **er ist zwar älter, aber er sieht noch immer gut aus.** Nein, ich steh nicht auf Machos. Aber er hat so was Besonderes. „Türkan Soray" spielt immer mit ihm zusammen und die passen sehr gut zusammen, wenn sie spielen. Die machen immer verschiedene Filme zusammen. Die sind kein Paar. (Sibell Temel)

Es gibt 'ne **Hamburger Community,** es gibt 'ne **Berliner Community,** die sind alle relativ isoliert in ihrer Welt und bewegen sich dort. Was auch ein großer Nachteil ist. Es gab ja bis in die 80er Jahre keine übergeordnete Institution, die, sag ich mal, türkische Kultur vertreten hat. Das liegt auch nicht in der Natur der Türken. Also die Solidargesellschaft ist eine Kultur, die in den industrialisierten Gesellschaften in den letzten 100 Jahren entstanden ist. **Da müssen die Türken aufgrund der Elternsozialisation noch ein bisschen lernen, damit sie verstehen, dass über die Familie hinausgehend die Kultur an sich oder die Community zu sehen ist.** Das ist aber nicht der Fall. Wir haben die Situation in Berlin. „FUAT" z. B., der ist bekannt unter den türkischen Jugendlichen hier in Berlin, aber der ist nicht bekannt in München oder in Stuttgart. Es gibt auch türkische Schauspieler, die im deutschen TV sehr erfolgreich sind, die sind aber dann keine Galionsfiguren in der türkischen Kultur. Galionsfiguren gibt es – wenn überhaupt – im Sport, weil es einfach sehr viel breitenwirksamer ist, sagen wir mal ein **„Bastürk" von Leverkusen,** der ist sicherlich bei allen türkischen Deutschen etabliert. Zum Beispiel **„Erol Sander"** hat auf RTL so 'ne Kommissar-Rolle gehabt. Wird extrem gefeiert, wird aber bei den meisten Türken nicht unbedingt sehr bekannt sein. Oder nehmen wir diesen **„Erkan Aki",** das ist dieser türkische Tenorsänger in der Schweiz, der mittlerweile in Deutschland als der neue Placido gefeiert wird, der extrem

volle Hallen hat, aber alles Deutsche. Das heißt ergo, nicht jeder, der was macht, macht das für Türken. **„Mousse-T“** zum Beispiel, der den Song „I'm horny“ geschrieben hat, der ist auch Türke, wer weiß das schon, oder „DJ Quicksilver“ oder die Booja Production aus Hamburg, die haben „Nana“ gemacht, die waren die erfolgreichsten Produzenten von 96 bis 98. Das waren alles auch Türken, die den deutschen Markt gerockt haben, aber in keinster Weise einen ethnischen Bezug hatten oder das für die ethnische Bevölkerung gemacht hatten. **Erfolg lässt sich über den Massenmarkt und die Mehrheitsgesellschaft realisieren, nicht über so 'ne kleine Nische,** das hab ich auch früher mit dem Hiphop gemeint. Deshalb muss man das auch so sehen, dass die, die in 'ner Nische Erfolg haben, relativ unbedeutend sind im Gesamtgeschehen. Und das ist das große Dilemma. (Ozan Sinan)

Da gibt's so einen neuen Star zum Beispiel **„Gökhan Özen“, der hat ein Lied, das heißt „aramazan ara“** – heißt auf Deutsch so viel wie, wenn du nicht willst, ruf mich nicht an. Models mag ich auch gern. (Sibell Temel)

Da gibt's noch **„Sibel Can“, mit dem Lied „icelim“ und „TARKAN“ natürlich, mit dem Lied „Kuzu Kuzu“,** das heißt auf Deutsch ... Schaf, Schaf ... dieses Lied kennt jeder, ja, bei dem Lied ist schon das Schaf auf der Wiese gemeint. Jeder kann das drunter verstehen, was er will. Tarkan hat eine neue Single und hat gleich den ersten Platz gemacht. Tarkan ist sehr fesch und die Mädchen sind alle scharf auf ihn. Er singt am meisten über Liebe ... er hat eine Freundin, eine hässliche Freundin, eine Anwältin, aber eigentlich hat es geheißen, dass er bisexuell ist. Man hat ihn mit einem Mann im Urlaub zusammen gesehen, das stimmt sicher, weil überall sind Paparazzi, die sehen alles. Ich hab das gelesen. Er hat es aber auch selbst gesagt, dass er bisexuell ist.

HOMOSZENE: „Ficken 3000"

Es gibt ganz viele Schwulenlokale in Berlin. Toms Bar ist sehr berühmt in der Motzstraße. Da ist überhaupt eine Gegend, wo es sehr viele Schwule gibt. **Dann gibt es einen Laden, der heißt „Ficken 3000",** da ist der Name Programm. Hieß früher „Ficken 2000". Die „Greif Bar" gibt's, es gibt auch ein paar Schwulensaunen, nicht dass man sauniert, sondern dass man andere Schwule kennen lernt. Also, es gibt viele Möglichkeiten, wo man Männer kennen lernen kann. Und wo man auch Sex haben kann. Die heißen dann Dark Rooms. Weil's da halt dunkel ist. In Westberlin sind die ganzen **Dark Rooms** unterirdisch. Im Kellergeschoss. Im Osten sind sie halt im Laden hinten, auf der gleichen Ebene. Durch 'ne Tür halt abgetrennt.
Im Westen hat das halt eine längere Tradition.
(Ali Gunay Koray)

Ich mag das in den Dark Rooms nicht – Sex zu haben. Weil da einfach mehrere Paare sind. Ich finde, es kann seinen Reiz haben in der Öffentlichkeit Sex zu haben, aber ich bin nicht so. Heute ist es gegenüber den Heteros eine große Freiheit der Schwulen, so was zu haben. Ich kenne auch ein paar Lesbierinnen, die sagen, sie hätten auch gerne so was, weil die müssen, wenn sie Sex haben wollen, vier Wochen sich bemühen, um jemanden kennen zu lernen. Und wenn es solche Räume gäbe, dann könnten sie halt ganz einfach hingehen und Sex haben. **Das ist schon 'ne große Freiheit, die wir haben.**

Im Frühjahr oder im Sommer 1996, da hat der **erste Club für Schwule und Lesben aufgemacht, der hieß „GON-Club",** Gay Orient Night, das war halt für Schwule und Lesben, der war damals in Tempelhof. Das lief einen Monat, dann gab's an einem der Hetero-Tage eine Schießerei mit Toten und dann wurde der Club zugemacht: Und in der Zeit hab ich mit dem Dzihan zusammen den **„Salon Oriental"** aufgemacht, und derjenige, der den „GON-Club" aufgemacht hat, hat 'ne neue Möglichkeit gefunden, das weiterhin sonntags zu machen. Dann haben wir parallel gearbeitet: Also, wir sind halt die Transen gewesen, die dort halt die Show gemacht haben. Also Bauchtanz, 'ne gemischte Show halt, und wir haben davon abgesehen am „Salon Oriental" weitergebastelt. Das ist halt ein Salon gewesen, 'ne privatere Atmosphäre mit Teechen und Kekschen und ein bisschen schnattern, dann gab's auch Live-Musik bei uns, 'ne orientalische Gruppe und dann gab's halt unterschiedliche Shows, die wir auch gemacht haben zu unterschiedlichen Themen. So hat das angefangen. Irgendwann dann ging der „GON-Club", ins „SO 36" und das ging dann aber auch nicht so lang, ich glaub nur ein Jahr, **und dann ist „Gayhane" daraus geworden.** Jetzt haben wir „Gayhane" mittlerweile ... wir kommen jetzt im Januar ins vierte Jahr.
(Fatma Souad)

Wir haben ja anfangs immer gesagt, für Schwule, Lesben und andere Normale und haben das auch so gehalten und wollten auch immer mit unseren Freunden zusammen feiern und Spaß haben, das Ganze ist auch sehr erfolgreich gelaufen, das ist halt so erfolgreich gelaufen, dass uns die Heterosexuellen, ich nenn sie mal Mitmenschen, also die Bude eingerannt haben und das hat natürlich zur Folge, dass sich Schwule und Lesben nicht so wohl fühlen, weil sie sich dann begafft fühlen, **das ist dann so eine Zooatmosphäre, und man kann das Ganze auch schwer stoppen.**
(Fatma Souad, Veranstalter SO 36)

Ich war 19 und in New York. Über eine lesbische Freundin habe ich einen Schwulen kennen gelernt, wir waren picknicken. Viele Leute waren da mit. Plötzlich hielten wir Händchen und ich hab das ganz okay gefunden. Mein Weltbild ist nicht zusammengebrochen und ich hatte kein schlechtes Gewissen. Hab auch nicht gedacht, dass ich krank bin oder dass ich sündige. Dann kam ich aus den USA nach Deutschland zurück, war noch ein halbes Jahr mit meiner Freundin zusammen, haben uns dann aber aus einem anderen Grund getrennt. **Und danach hatte ich nur mehr mit Männern Sex.** (Ali Gunay Koray)

Viele Leute aus der arabisch-türkischen Community führen natürlich ein Doppelleben. Die kommen als Heteros rein und leben sich hier schwul aus. Und wenn sie rausgehen, dann sind sie auf der Straße auch wieder Hete, weil sie einfach zu Hause oder in der Familie **so unter Druck stehen** und sich das nicht leisten können, offen schwul zu sein.
(Fatma Souad, Veranstalter SO 36)

Meine Familie weiß das nicht. Ich denke, sie wissen es ein bisschen. Gesprochen aber wird darüber nicht. Sie drängen mich nicht zu heiraten. Aber es ist schon sehr komisch, wenn man als 27-Jähriger noch nicht verheiratet ist. **Warum ich mit meinen Freunden in den Urlaub ins Sommerhaus fahr und nicht mit Freundinnen.** Dann sind da auch immer meine Eltern dabei. Zwar entspannt, aber es wird nicht darüber gesprochen. Wahr-

scheinlich ist es doppelmoralig und von meiner Seite her auch ein bisschen ... andererseits ist es auch irgendwie komfortabel. Auch meine Schwester weiß es nicht zum Beispiel. Jeder hat sein Privatleben, wir respektieren einander, aber ... (Ali Gunay Koray)

Es bringen sich genügend Leute um, weil sie glauben, sie sind die Einzigen. In der Großstadt vielleicht weniger, aber auf dem Lande, da geht's den jungen Homos noch genauso scheiße wie immer. Also da hat sich ja nix getan. **Und nur weil sich jetzt Homos vermählen können, heißt das ja noch lange nicht, dass da viel passiert ist.** Im Grunde sind wir noch nicht viel weiter. Die Kluft ist immer noch da. (Fatma Souad, Veranstalter SO 36)

Jetzt hab ich gehört, die wollen allen Ernstes **'nen dritten Pass einführen in der Türkei, also damit man an der Farbe des Passes gleich sehen kann, ob es sich um Lesben, Schwule oder Transen handelt** ... die kriegen 'ne eigene Farbe, also das find ich ganz grottenätzend. (Fatma Souad, Veranstalter SO 36)

In Ostberlin hat das halt alles erst so 1991 angefangen. Ich glaub, es gab in Ostberlin eine Kneipe, die hieß **„Burgfrieden"**, kenn ich aber nur vom Hörensagen. Das soll damals die einzige Kneipe für Schwule gewesen sein. Dann gab's noch die **„Charlotte von Malsdorf"**, was eigentlich seit ein paar Jahren vor der Einigung schon existiert hat. Malsdorf ist ein Ortsteil im Osten. Da ist ein Schloss, das hat sie oder er gekauft oder geerbt. Mit Büchern und Möbeln aus der Gründerzeit.

Der Besitzer ist schon damals mit Frauenkleidern herumgelaufen, er hatte dort ein Museum eingerichtet. Vor zwei, drei Jahren ist sie nach Schweden ausgewandert, **weil sie das mit dem Rechtsradikalismus nicht so gut auf die Reihe bekommen hat.** Sie ist auch selber oft angegriffen worden. Das waren also die zwei DDR-Schwulen-Orte. (Ali Gunay Koray)

Wenn man sich auf Türkisch unterhält unter Schwulen, dann gibt es da so eine Art **Underground-Sprache**, die sehr orientiert ist an dem Türkisch-Zigeunerischen. Die haben aus anderen Sprachen Begriffe mitgebracht, und weil eben Zigeuner sexuell auch sehr freizügig und einfach auch lebensfrohe Leute sind, haben da, glaub ich, die Schwulen deren Begriffe übernommen. Da gibt es zum Beispiel **für Polizei den Ausdruck „Paparon"**. Das verstehen dann nur Schwule, was damit gemeint ist. Weil eben die Türkei sehr strenge Gesetze hat ... wer in einer Wohnung gemeinsam wohnen darf und wer mit wem Sex hat. Dann für Geschlechtsverkehr gibt es unendlich viele Begriffe, da muss man dann halt ein Wort nehmen, das dein Gegenüber versteht, aber das kein anderer versteht. **„Lubunya" heißt zum Beispiel Schwuler.** Wenn du in der Türkei auf der Straße das sagst, dann hören die Leute das, aber meinen, das ist ein Wort, das sie einfach nicht kennen, weil es dieses Wort so nicht gibt. (Ali Gunay Koray)

HOMOSZENE

Es gibt ja auch dieses ganze Halstuchwesen, wenn man ein Halstuch trägt, dann hat das 'ne Bedeutung. Wenn man es in der linken Gesäßtasche trägt, hat's 'ne Bedeutung, wenn man es in der rechten trägt, hat's 'ne andere Bedeutung, das heißt dann, glaub ich, so viel wie, dass derjenige lieber passiv Sex hat. Dann gibt's 25 Farben, die dann sagen, ich steh auf Sadomaso ... alles Mögliche. **Codes ohne Ende.** Oder wenn man jemanden sieht mit hellblauen Jeans und hochgekrempelt, dann weiß man, der ist schwul. Ich verwende diese Codes nicht, ich find das albern. (Ali Gunay Koray)

HiPHOP iS 'NE FAMiLiE

Hiphop ist halt ein Dachbegriff für das Ganze, das ist ein Haus und hat vier bis fünf Säulen. Graffiti, Rappen, Breakdance und Djing. Und die Säulen muss man wirklich verstehen.
(Amigo von den Flying Steps)

Ich mag eigentlich 80–90 % des Deutschen Hiphopkrams nicht so gerne, weil ich mir auf jeden Fall sage, da geht auf jeden Fall mehr, weißte, so flowmäßig, man muss doch irgendwie, also wenn ich so an deren Stelle wär und mir anhöre, wie ich jetzt so auf 'nen Beat gerappt hab so, dann würde mir das echt zu wenig vorkommen. Bei so Sachen wie bei DEICHKIND „**Bon Voyage**", da ist das auch gut so zu erkennen. **So textmäßig geht da überhaupt nichts, sag ich mal.** Die müssen jetzt nicht „CURSE"-mäßig so was Deepes von sich selber erzählen, aber man hört auch selber, dass der Großteil, was die schreiben so, das beansprucht einen höchstens fünf Minuten. (Kool Savas)

Also die, die mit dem Begriff „schwul" im Hiphop z. B. hantieren, Gott, die sind halt ein bisschen stumpf, würde ich sagen ... vielleicht als Kind von der Schaukel gefallen und mit dem Kopf aufgeschlagen oder so ... das sind für mich Leute, die einfach homophob sind, die dumm sind, **das sind halt Idioten.**
(Fatma Souad, Veranstalter SO 36)

Mein Bezug zu Hiphop, **dass die türkischen Jugendlichen sich einfach bilden** sollen, Uni besuchen oder so, das will ich weitergeben. Sie sollen die Steine, die ihnen in den Weg gelegt werden, halt umgehen, sie sollen halt jetzt nicht superintellektuell werden ... so sagen, hä, wir sind superintellektuell und ach ... nicht in dieses Klischee reinfallen, das mein ich nicht. Sie sollen ihr wahres Gesicht halten, sie sollen nicht spielen!!
(Deniz Bax)

Dann haben wir die Entwicklung Hiphop, **wo die Türken in Deutschland Anfang der 90er Jahre erkannt haben, dass sie mit dieser amerikanischen Geschichte nicht sehr weit kommen,** oder mit der deutschen Geschichte ... also war der nächste Schluss in Türkisch zu rappen.

Ich denke, Mitte der 90er fing es dann, glaub ich, an, **dass so die Ersten das halt auch gesehen haben, dass mit der Türkei nicht viel zu machen ist, und haben dann auch umgeschwenkt auf die deutsche Sprache.** Und heute kann man davon ausgehen, dass ca. über 80 % der türkischen Rapper in Deutsch rappt. **Diejenigen, die noch nicht so viel Erfahrung mit dem Markt haben, die glauben, dass sie mit ihrer türkischen Geschichte da „realer" sind ... sind sie aber nicht ...** Es sind für mich eher diejenigen, die keine Chance haben werden, auch in Zukunft nicht, die heute noch in Türkisch rappen. Das haben wir ja auch selbst erfahren mit Kartell, türkischer Hiphop wird auf gar keinen Fall in Europa in irgendeiner Form sich durchsetzen können.
(Ozan Sinan, Produzent Kartell)

HipHop in Wien

Die **„Hidden Nation Crew"** zum Beispiel. Das ist eine Community, wo Breakdance-Gruppen drin sind, wo es MCs gibt und sehr viele, auch türkische, Jugendliche dabei sind, die mittanzen oder singen, aber das geht irgendwie unter, weil die Nationalität in der Szene nicht wichtig ist. Die Breakdance-Gruppe, die **„Talking Bodys"**, die trainieren im Jugendzentrum am Wienerberg. Der Gründer heißt Lubo. **Die „Hidden Nation" ist halt die Musikgruppe und die „Hidden Nation Crew" sind halt alle zusammen.** Die machen Hiphop und haben eher deutsche Texte.
(Umut Akar)

Breakdance: Break-Boy

Vor 17 Jahren hat das angefangen hier in Deutschland, und genau seit 17 Jahren leg ich auch auf, damals gab's die Breakdancezeiten, und ich wollte unbedingt zu dieser Gruppe gehören, aber ich konnte nicht tanzen. Dann hab ich gesagt, mach ich halt die Musik. Die wollten mich eigentlich nicht dabei haben. Aber ich hab gemerkt, dass die immer so 'nen kleinen Kassettenrecorder hatten und dann hab ich als Erstes einen **riesengroßen Ghettoblaster** gekauft, und die Platten, die ich zu Hause hatte, hab ich dann aufgenommen und dann haben die gesagt: „Cool ... komm doch mal zu unserer Gruppe." Ich wollte auch mit Plattenspieler Show machen. **Ich war auch der erste DJ, in Breakdancezeiten, der damals mit Platten auf der Straße aufgelegt hat.**
(DJ H_Khan)

Flying Steps

Wir existieren seit Anfang 93 und damals waren wir vier Tänzer, mit mir und Vartan, wir sind halt so Mitbegründer von den Flying Steps, und heute sind wir neun Tänzer. Entstanden ist das Ganze durch Spaß und in Diskotheken, so Angeberei, ein bisschen Welle, und irgendwann hat sich das zu einem Beruf entwickelt. (Amigo von den Flying Steps)

Deutschland hat das Ganze durch die Medien gekriegt. Vorteil war, dass wir das hier lernen konnten und davon Wind gekriegt haben, dass es überhaupt Breakdance gibt, und Nachteil ist, **dass wir wirklich den Begriff Breakdance benutzt haben. Das ist ein Begriff, der von den Medien erfunden ist** ... breaken, Brechertanz, und eigentlich was es richtig heißt, ist B-Boying.

B-Boy heißt, früher haben die Tänzer Breakbeat getanzt. Das heißt, früher hat ein DJ ein Lied gehabt und dieses Lied hat einen bestimmten Break gehabt, 'ne Unterbrechung, so zwei bis sechs Sekunden halt, und der Tänzer hat den Break ausgenutzt und richtig reingehauen. Und daher ist das entstanden. **Break-Boy heißt das eigentlich und dann haben sie B-Boy gesagt.** Wir haben 92 unsere Infos vom TV, von Videos und so bekommen, **„Beat Street", „Wildstyle", „Break Inn",** und früher waren halt irgendwelche Sendungen wie Bravo mit Ulp und da hatten wir Videos gefunden, und Storm ist eigentlich die größte Informationsquelle gewesen überhaupt, und Storm hat das Ganze wiederbelebt in Deutschland. Nachdem er nach Berlin umgezogen ist, hat sich wirklich viel geändert. Er hat den Leuten gezeigt, dass es Tanzen ist und nicht nur irgendwie sich bewegen, Moves und Powermoves ... Storm ist Berliner und ist so ein richtig alter Old-Schooler. Der hat das Ding einfach durchgezogen, der hat 1984 angefangen. Der ist jetzt so 30, 31.

Hier in Berlin hat sich das Ganze wirklich zum Positiven entwickelt. Damals, Mitte 90er, war's so, dass Berliner wirklich einen schlechten Ruf hatten, weil **Berliner waren einfach so die Stresser.** Wenn wir auf einem Jam gewesen waren, da gab's dann irgendwelche Schlägerein, Stress und so. Damals waren OCP, so Tanzwettbewerbe in Hannover, Heidelberg, Köln, verschiedene Städte halt, und die Berliner waren zwei Gruppen, die gut waren. **„Tod durch Breakdance", „City-Rockers", „Interial Breakers" oder „Imperial Nation" oder so, ganz alte Leute.**

Flying Steps haben so wirklich 'nen guten Platz, bei „Battle of the year" zum Beispiel, das ist so 'ne **Tanzweltmeisterschaft,** also auch Nationalmeister, die war jetzt 2000, die haben wir gewonnen. Beim „Battle of the year", wenn man da auf der Bühne steht, du vergisst alles, du willst einfach dein Ding durchziehen und betest, dass das Ding steht. Wenn du da verkackst ... die Leute bereiten sich Jahre vor, damit sie sich da vorstellen dürfen, und das ist so 'n Druck auf einer Seite und man freut sich, dass die ganze Welt da ist, man knüpft Freundschaften, man tauscht Infos und Bewegungen ... das ist wie 'ne Familie. 13.000 Leute waren da. Das war auf der Expo und das war wirklich einmalig ... Das Battle an sich war schwer. **Weil die Japaner, die wir eigentlich nicht so krass erwartet haben,** die Gruppe war gut, aber das Problem auf der Breakdance-Schiene ist, das Ganze wird oft zu akrobatisch. Und die hatten so Pyramiden aufgebaut und so ... war eigentlich schön und streng. Aber vom Tänzerischen her sind für mich die Japaner die besten Tänzer, wie sie das Ganze entwickeln und wie sie sich da reinsetzen und so.

Wir machen ja auch nebenbei Musik und dadurch haben wir viele Fernsehshows, Radioshows, Festivals, Galas, Eröffnungen, eigentlich sind wir überall vertreten. **Wir sind auch so in Videoclips zu sehen.** Manchmal ist das halt schwer so ... ich dachte, die Videos sind gute Werbung und so, aber nach 'ner gewissen Zeit sieht man, dass es irgendwie nicht das spiegelt, was du eigentlich denkst. Manchmal haben wir Fans, die sagen, ihr seid Hiphop, ihr seid Underground, warum macht ihr Kommerz? Wir machen aber einfach das, was uns gefällt und das, was wir am besten können. Jeder Mensch hat eine Waffe in sich, und diese Waffe muss man erst mal finden. **Man hat Stärken, und Tanzen ist unsere Stärke. Warum sollen wir mit unserem Können nicht Geld verdienen?**

BREAKDANCE: BREAK-BOY

Wenn wir heute sagen, wir treten für 5000 DM auf und andere kleine Gruppen treten für 50 DM auf, das muss sich langsam entwickeln, dass sich das aufhört. **Wir sind Tänzer, nicht nur Straßentänzer, sondern Tänzer.** Das, was wir machen, ist Kultur. Das ist keine Modeerscheinung mehr. Und das zu erklären ist schwer. Die Leute verstehen das nicht. Die Leute wollen, dass wir Underground bleiben, aber das geht nicht, man muss sich weiterentwickeln. In Berlin gibt es wirklich gute Gruppen. Es gibt momentan die **„Five Amoks", die sind sehr gut. Es gibt auch ein paar Gruppen aus Schöneberg, zum Beispiel unsere nächste Generation aus Wedding, „Wedding Allstars",** aus Kreuzberg sind viele Gruppen, manchmal komm ich selber nicht mehr mit, wie viele es da gibt. Berlin ist so groß. Und es ist auch eine Tanzmetropole für Breakdancer.

Musikproduktion ... wir haben 'ne kleine Plattenfirma kennen gelernt und die produziert uns auch. Wir machen Elektro so und letztens sind **wir in den deutschen Musikcharts auf Platz 30 gelandet.** „Breakin it down" ist die aktuelle Single, und „Supersonic" war ja unser Start so, unsere Rakete. Wir haben erst ein Album heraußen. Wenn wir Ideen haben, dann bringen wir die an die Produzenten. Wir versuchen halt die Stile viel zu mixen. (Amigo von den Flying Steps)

RESURRECTION WIEN: BREAKDANCE IST WIE DIE BATTERIE FÜR DEN WALKMAN

Wir haben unterschiedlich angefangen zu tanzen, also in unserer Gruppe, die heißt jetzt **„Resurrection", das heißt „Wiederauferstehung".** Wir tanzen zwischen vier und neun Jahren, wobei da manche immer dazwischen aufgehört haben, **weil's keine Jams mehr gegeben hat und keine Veranstaltungen mit Breakdance und weil es keine Leute mehr gegeben hat, die angefangen haben zu trainieren, zu breaken.** Vor vier Jahren cirka hab ich angefangen bei den „Talking Bodies", der Arne war bei „B-Boy Soultribe", dann der Reini war bei „Dynamic Skills", und der Stani war in Bulgarien und der ist vor zwei Jahren nach Österreich gekommen und hat uns gefunden und seitdem mit uns wieder angefangen zu trainieren.

Tanzfavorite für mich ist auf alle Fälle der Storm, der ist eine Breakdance-Legende. Die Amis sind ziemlich gut, weil dort ist das ja entstanden. Die „STYLE-Elements" sind ziemlich gut, dann „Rockforce-Crew", in Kalifornien gibt's ziemlich viele: „L. A. Breakers", die sind ziemlich gut. Japaner gibt's auch ziemlich gute: „Spatanik Rockers" und viele andere.

Auf der Kärntner Straße machen wir ab und zu Straßenshows mit den ungarischen Breakers „Suicide Lifestyle", das macht Spaß. Jetzt fahren wir bald nach Frankreich, ein paar von uns, und dort sind wir im Hiphop-Zirkus, da bleiben wir ein paar Monate. Am Dienstag ist die Premiere im „Kaleidoskop" beim Prater, das ist so varietémäßig, Theater ist drin, Schüttelzirkus ist drin, und da sind immer verschiedene Shows. Manchmal kommen Step-Tänzer, Orchester ist dort, so 'n Erlebnispark ist dort. Wir sollen dort auch durchgehend arbeiten, also drei Monate.

Die Szene in Wien dafür ist schlecht. „Resurrection" und „B-Boy-Death-Squad" sind ziemlich starke Newcomer, dann gibt's noch „Talking Bodies", Teile von den „Dynamic Skills" gibt's noch, aber die breaken nicht wirklich. Dann gibt's noch viele kleine unbekannte Gruppen, die noch in Jugendzentren trainieren, aber die keine wirklich fixe Struktur darstellen. Das Potential ist da, Talent ist da, aber die wissen einfach noch nicht, wie sie alles einsetzen müssen bzw. wie sie sich zusammenschließen, wie sie ihre Shows gestalten müssen, wie sie ihre Bewegungen gestalten müssen ...

Mein Traum wär, dass ich **tanzen könnte, bis ich 86 bin.** Wurscht, mit Stock oder ohne, mit Rollstuhl oder ohne. Na, dass ich mir echt meinen Lebensunterhalt verdienen kann, das wär echt mein Traum, und das dann so lange machen, wie's der Körper halt verträgt und nicht mit zu großen Schäden aussteigen. **Es gibt schon Leute, die gestorben sind beim Breaken. Bei einem Headspin, Genickbruch oder so.** Bandscheibenvorfall ist klassisch. Beim Breaken kann da alles Mögliche passieren, weil auf der Straße, der Boden ist hart, du machst einen Fehler beim Akrobatik-Sprung, beim Powermove, und weg und aus is'.

Mit der „Symbiose" und mit den „Waxolusionists", mit denen stehen wir schon in Kontakt. Diese ganze Formation, die selber rappen und DJs sind, mit denen hängen wir schon ab. Mit den „Afrodelics" sind wir auch manchmal zusammen. Aber die haben einfach derb viel zu tun. Die Vibes stimmen auf alle Fälle. **Sie geben uns Respekt, wir geben ihnen Respekt.**

Fett, Skills, don't stop the Body Rock, Styles, flashn, moves, flavour ist auch so ein wichtiges Wort. Flavour is ganz einfach das, was eine Sache auszeichnet. Flavour steht für Atmosphäre, für Stil, für Ausstrahlung, für Charisma, wo man wann eine Sache wie rüberbringt. **Das ist ein Universalwort für alles.**

BREAKDANCE: WIEN

Wir haben Breaker kennen gelernt, die sind 40 Jahre. Die gehen genau noch so gut ab mit „windmills", „powermoves", „headspins", mit „boogie", mit allem. Typisches Beispiel der Kai Eckermann aus Berlin, der wird sicher schon 37 sein, aber der geht noch immer ab wie eine Drecksau. Dem ist eigentlich keine Grenze gesetzt. Kent Swift zum Beispiel, der ist auch 35 und der setzt noch immer Maßstäbe. Mr. Wiggels aus New York oder so. Crazy Legs, ganz alter Rocksteady Präsident.

Es gibt eigentlich keine typischen Breaker-Sachen zum Anziehen. Das ist irgendwie Old-School-related. Früher war's halt so, da hat jeder Breaker Old-School-Sneakers anhaben müssen mit „Fat laces" drin. Old School ist halt alles bis 90, und New School ist alles nach 90. So ungefähr. Das war so das Breakerzeichen. **Die fetten Schuhbänder zu einem Adidas-Superstar oder einem Puma-Sweater, da warst voll dabei.** Oder einen Name-Belt, wo du deinen Namen auf der Gürtelschnalle dran hast, oder die Leiberln mit der Crew hinten drauf und vorn deinen eigenen Namen. Das waren typische Breakerutensilien für damalige Zeiten. Das hat sich mehr oder weniger verlagert, weil das eine sportliche Sache ist, auf zweckmäßige Sachen.
(Orhan Köysören&Arne Haubner)

GRAFFITI WRITING

Es gibt so 'n Artikel von Adrian Navi: Graffiti is the wrong word, weil Graffiti im Wörterbuch als Schmierereien gilt, so soll das das falsche Wort sein, und Writing ist sozusagen das richtige Verb dazu, was als Oberbegriff dann als echt durchgeht.

Früher hab ich die Häuser auch voll gekritzelt. **Mit 'nem Edding-Stift, nicht mit Sprühen. Mit 'nem dicken Edding kannst du überall malen. Ich hab einfach meinen Spitznamen raufgeschrieben. Man kann seinen richtigen Namen nicht raufschreiben, da wirst du gleich erwischt.** Der größte Sprüher der ganzen Welt heißt **„Level"** für mich. Er ist in New York, glaub ich. Er ist deshalb so cool, weil er überall draufsteht ... Level. Überall. Wenn die ihn erwischen, ich glaub mehr als 20 Millionen Dollar Schaden. U-Bahn, Haus, alles. Ich hab nur ein- oder zweimal mit Edding geschrieben, mehr schreib ich auch nicht. Das war mein erstes und letztes Mal, da bin ich auch erwischt worden. Von der Kripo. Dann Gericht. Ich hab dem Richter gesagt, das war mein erstes und letztes Mal, und das war's dann. Keine Strafe. Meinen Namen sag ich nicht. Ich kenn viele andere, die sprühen. Ich war aber noch nie in einer **Sprühgang**. Ich hör gern Hiphop, Nelly, Tupac, Sisko. Ich hör aber auch türkische Musik, Folklore.

Writing ist Graffiti-Kunst, Writing ist auf der Straße zu schreiben, um seinen Namen rauszubekommen, dass man einfach „Fame" kriegt auf der Straße, das ist Writing. Meine Erfahrung sagt mir Folgendes: Du bist ein Normali, ja, gehst in die Schule, kommst raus, wie auch immer. Dann is es so ... du lebst in 'ner Stadt, wo 5 Millionen andere sind, die aber auch mit ihrem Namen dir Konkurrenz machen. Der absolute Vorteil, den man hat, grade bei diesem Hiphop-Ding, was läuft ja ... es zählt wirklich nur der Name, das Synonym sozusagen, du bist einfach **out for fame.** Einer, der nun eben sein Ding mit Writing macht, auf der Straße Bilder malt, viel bombt und so, kann natürlich aus der Masse stechen, kann den Respekt bei andern erlangen, ohne dass er jetzt besonders einen Meter groß ist und dicke Oberarme hat und jetzt jede Braut kriegt, die er will. (Halil Efe)

Ich hab früher auch so 'n bisschen gemalt, ich habs voll geliebt, mit den Buchstaben so rumzuspielen. **Meine Schwester war da in so 'ner Mädchengruppe, und diese Gruppe war eine der ersten Mädchengruppen in Berlin** oder zu diesem Zeitpunkt gab's nur zwei andere Gruppen. Die Gruppe hieß TKC (Name geändert). Ich war dann mal dabei und hab nur gestaunt und fand's faszinierend, wie die mit Sprühdosen umgegangen sind. Und irgendwann hab ich angefangen, meine eigenen kleinen Skizzen zu machen. Wobei ich sagen muss, dass ich nie irgendwie so drauf aus war, meinen Namen zu verbreiten oder so intensiv zu werden. Das hab ich nicht gemocht so, bei illegalen Aktionen dann wegzurennen, weil ich **bin eher so der Typ, der so an der Wand acht Stunden verbracht hat,** und zwischendurch gegessen und Kippen geraucht und zwischendurch wieder hingesetzt und Musik gehört. **Mein Name für die Graffitis war „India"** (Name geändert), so heiß ich auch in dem Hiphop-Film von Neco Celik.
(Serpil Turhan)

Früher gab es ganz viele legale Wände. Da gab's 'ne Firma und die hatte 'ne riesenweiße Wand, und die war legal und da hab ich ca. 90 % meiner Bilder gesprüht. Da haben mich manchmal sogar meine Eltern besucht, weil sie wussten, ich bin jetzt da. Auch hier in Kreuzberg, Hallesches Tor, gab's legale Wände. **Da war zum Beispiel 'ne riesen „Hall of Fame".** Die war richtig riesengroß, da haben sich über 20 Wände befunden. **Mittlerweile gibt's das nicht mehr,** weil die da irgendein Parkgelände hingebaut haben, völlig unsozial und unüberlegt so.
(Serpil Turhan)

Es gab nur eine Aktion, wo ich fast **die Krise bekommen hab**, wo wir an 'ner S-Bahn-Strecke malen waren mit anderen Freunden, und dann hab ich **irgendwann Geräusche gehört** und ich bin vorgelaufen an der S-Bahn-Strecke, und wir mussten abhauen. Ich hab mich noch einmal hingepackt und über irgendwelche Büsche, und irgend-

wann hab ich dann echt **fast ’ne Herzattacke** bekommen, weil mir ging’s überhaupt nicht gut. Aber ich glaub, die sind jetzt wirklich sehr sensibel drauf geworden. Ich glaub, das wird heute höher bestraft als vorher. **Geldstrafe oder Anzeigen, irgendwelche Jugendstrafarbeit** ... (Serpil Turhan)

Dann hab ich einen Kurzfilm gemacht, der hieß **„Hall of Blame“**, da ging es um einen Graffiti-Künstler, der für eine Wand seine Freunde verlässt, seine Freunde vernachlässigt und am Ende in eine Gewaltspirale reinkommt, wo er sich dann entscheiden muss, Wand oder Freunde oder Freundin, und **letztendlich entscheidet er sich für die Wand.** (Neco Celik)

Die Unterschrift bzw. dein Markenduft ist ein „Tag“. Ich hab mal ’nen Film von Michelangelo gesehen und da hat er die Fresken gemalt, die ganzen Jesusbilder und so, und dann hab ich überlegt, wir haben da ja auch ’ne Kultur. Und dann hab ich das gemacht. Da ist ein **osmanischer Krieger, der da auf’m Pferd reitet mit einem abstrakten Hintergrund.** Das hat für mich damals bedeutet, dass man woher kommt, dass man ’ne Identität hat. Man ist nicht irgendjemand, der vom Himmel gefallen ist, sondern man gehört einer Kultur an. **Das hat weniger mit Nationalität zu tun als mit einer Kultur.** So wie Juden Deutsche sind, gehören sie der jüdischen Kultur an. Genauso gehören wir der islamischen Kultur an. Also, das begreifen viele nicht. Das ist auch aus dem Balkan-Krieg. Das fand ich interessant, da präsentieren Soldaten ihre Opfer, ihre Köpfe, fand ich so absurd und grotesk, dass ich sagte, das muss man malen. Das hab ich von Fotos abgemalt. (Neco Celik)

In der Oberschule habe ich „Tags“ gesehen und die waren so wundervoll. Du bist am Zeichnen 24 Stunden und du bist am Denken, du musst die Sprühdosen besorgen, du bist eigentlich wie ein Junkie, immer in Bewegung. Wenn man die Sprühdosen kauft, dann kosten die verdammt viel. Man besorgt sie sich besser ... in Geschäften ... man holt sie sich ... okay, dann nennen wir das „klauen“ für die normale Welt. Das nennt man in der Graffiti-Sprache **„wrecken“**, man wreckt sie sich, das ist für Graffiti-Verhältnisse legitim, weil wir was Kreatives schaffen. **Und Kreativität muss unterstützt werden.** Eine Sprühdose kostete damals 8–9 Mark. Wir brauchen 50 Dosen, um ein Bild zu sprühen, das kann sich doch niemand leisten. (Neco Celik)

RAP IST KRIEGSGEBIET – PAK, PAK DURCH UND SICH NACH VORNE KÄMPFEN

Die **STUDENTEN** ... 'ne Zeit lang war's halt total in, über türkische Subkultur zu berichten, da sind dann viele Leute gekommen, **DIE WOLLTEN DANN IMMER NUR DIE BESTIMMTEN SACHEN HÖREN,** zum Beispiel, dass man Identitätsprobleme hat und dass man deshalb türkisch rappt und so, weil wir uns mit Deutschland nicht identifizieren können, aber das ist alles totaler Quatsch, weißt du, die Leute haben das immer so reininterpretiert und versucht, die Interviews immer so zu lenken halt. Manche haben gesagt: „Warum **RAPPT IHR AUF TÜRKISCH, SEID IHR RASSISTEN ODER SO** ...", das ist ja auch totaler Quatsch. Nur weil ich auf Türkisch rappe, muss das nicht heißen, dass ich gegen irgendjemanden bin, das hat damit nix zu tun. (Volkan)

Es gibt „**STRESS SIRTLAN**", „Azra" gibt's, „**KILLA HAKAN**" gibt's, „**FUAT**" gibt's. Alle Leute haben sehr viel Potential und so und sind auch sehr aktiv und bringen Sachen raus. (Volkan)

Ich mach deutschen und türkischen Hiphop. **WEIL HIPHOP GLOBAL IST, SOLLTE MAN HIPHOP AUCH GLOBAL VERSTEHEN** und man sollte sich nicht einengen. Nicht nur sagen, ich mach nur türkischen Hiphop oder sagen, na, ich mach nur deutschen Hiphop. Ich erzähl 'ne Geschichte und dann fang ich an, die Geschichte Deutsch zu erzählen und am Ende geb ich die Geschichte noch mal türkisch her. (Deniz Bax)

Ich war nie wirklich Writer, ich bin nur mit den Leuten abgehangen und kenn eigentlich jeden so ... wir haben jetzt ein Label hier gegründet, das heißt **AGRO-BERLIN** und machen deutschsprachigen Rap ... Wir machen die „Sekte", und die anderen heißen „AGRO". **AGRO IS SO 'N BERLINER SLANG-WORT FÜR AGGRESSIV,** ich bin agro ... du machst mich agro, oder der Typ ist agro oder so ... kommt auf jeden Fall ständig vor. Die CD is 'n Splash-Special, Splash is 'ne Party in Chemnitz – jährlich, wo bis zu 30.000 Besucher sind. (Halil Efe)

Unsere Raps sind ein bisschen kontrovers, also die sind echt aggressiv, ja es geht um Battle-Rap sozusagen, es geht darum, wer ist der bessere MC. **WER HAT DIE BESSERE LYRIC, UM DEN ANDEREN AUSZUNOGGEN MIT SEINER LYRIC.** (Halil Efe)

Dieser „**YPSILON MUSIC'S**" Laden, das is 'n Plattenlabel aus Kreuzberg, Türken machen den, die kommen jetzt gerade mit Raps aus Westberlin und versuchen da jetzt 'n paar Sachen zu verkaufen eben. Die sitzen in der Wrangelstraße in einem Kiosk ... es sieht so aus, du kommst rein, in einem stinknormalen Lottoladen, wo auch Süßigkeiten verkauft werden, und Fladenbrot haben die ... und **DAHINTER IS 'NE TÜR, DA GEHST DU DURCH UND DANN BIST DU IM MUSIKLABEL DRIN.** 'n Büro, noch 'n Büro und 'n kleines Studio ... is schon genial gemacht. So was gibt's auch nur in Berlin ... ich würd nicht glauben, dass es da irgendwo in Wessi-Land so irgendwas gibt.

King Kool Savas/MC in Berlin

ICH WILL, DASS ES MIR UND MEINER FAMILIE GUT GEHT. Ich hab zwei Alben herausgebracht mit „West-Berlin-Maskulin" und ein Album mit meiner ehemaligen Crew „MOR" und jetzt hab ich vor kurzem eine EP rausgebracht, die „**HAUS UND BOOT**" heißt. Soloalbum hab ich noch keines rausgebracht.

Also mit „MOR" war das so – ich hab als Ersten „**FUMANSCHU**" kennen gelernt. Ich war 1996 auf so 'ner **FAHRT, DIE WAR VOM HIPHOP-MOBIL ORGANISIERT, NACH L. A.**, und „FuManSchu" war dabei und das war der Anfang, wo ich halt gerade so mit dem deutschen Shit mich ein bisschen so vertraut gemacht hab und ich hab halt gemerkt, **DASS WIR VIELE GLEICHE INTERESSEN HATTEN UND AUCH MUSIKALISCH SEHR GUT MITEINANDER KLARKOMMEN**. Er hat dann Jungs von sich dazugebracht, ich hab Jungs von mir dazugebracht. Ich kannte halt schon „FUAT" von davor und „Melny" und wir haben dann halt eine große Gruppe gegründet. So ist das immer weitergewachsen, bis wir dann halt das Album gemacht haben, sozusagen als Höhepunkt der ganzen Sache. „NLP" ... heißt das Album.

Eigentlich bin ich bei „**PUT THE NEEDLE**", und die haben 'n Deal mit DEF-Jam so ...

WIR SOLLTEN URSPRÜNGLICH IN WIEN AUFTRETEN ... ich glaub, das hat angefangen mit diesem DJ-Burstub von „**SCHÖNHEITSFEHLER**", der hat halt die Leute drauf aufmerksam gemacht, dass viele meiner alten Texte ... **DA KOMMEN VIELE SCHIMPFWÖRTER VOR, ODER DAS KOMMT IHNEN FRAUENFEINDLICH VOR** ... der hat das halt sehr persönlich genommen und hat dann halt alle Leute mobilisiert, unter anderem auch diese „Rosa Antifa", und ich weiß nicht, vielleicht haben die da jetzt nicht genug Probleme in Wien, dass sie sich da jetzt um mich kümmern müssen, und dann haben die gesagt, **ICH WÄR HALT VOLL DER SEXIST** ... was auch immer ... und haben da somit verhindert, dass ich da auftrete, bis ich dann 100 km weiter entfernt in so 'ner kleinen Stadt auftreten musste.

Viele meiner alten Texte, also Songs wie „LMS" und „Pimplegionär"... da geht's halt nur um Geficke ... **ICH BIN SO GEIL, ICH FICKE 20 FRAUEN PRO TAG** ... für mich war das damals mein Humor. Ich hab mich halt drüber weggepackt. **FÜR MICH WAR DAS IN KEINSTER WEISE ERNST GEMEINT**, so wie bei Sendungen wie „Southpark" oder so, das ist eigentlich der gleiche Level.

Ich mach halt jetzt intensiv nur noch Battle-Texte, und **SEX ALS THEMA IS' FÜR MICH JETZT KEIN THEMA MEHR.**

Aber ich hab auch gemerkt, wenn man erst mal so 'n gewissen Kreis von Hörern erreicht hat, **DANN KOMMEN SO SACHEN WIE VERANTWORTUNG, DA MUSS MAN SICH DANN WIRKLICH AUCH GEDANKEN MACHEN.**

Ab und zu geh ich vielleicht so ins „Kurvenstar" und dann sag ich wieder, heut hat mir's nicht so gefallen, und dann geh ich wieder zwei Monate nicht ... Eigentlich will ich ja gern in Clubs gehen, wo die Leute so tanzen, **ABER EIGENTLICH WILL ICH NICHT SO PROLLIGE TYPEN HABEN, SO MIT GEL IN DEN HAAREN.**

MTV-VIDEO

Ich glaub, richtig angefangen hat's halt mit „**KING OF RAP**", die Platte, die ich mit „Plattenpabst" zusammen gemacht hab, da gab's halt 'n Video auf MTV, und was mich voll gestört hat damals, war – **SOBALD DAS VIDEO DRAUSSEN IST, VERÄNDERN SICH HALT 50 % DER LEUTE SO AUF JEDEN FALL**, und das sind auch dann so die 50 %, die dich nicht so gern mochten oder nichts mit dir zu tun haben wollten und die grüßen dich ganz nett und sind halt richtig cool zu dir, und das find ich dann echt lächerlich ... daran merkt man, dass man diese Leute nur über MTV und Viva erreicht.

Ich mach das schon seit längerem, ich gebe **RAP-WORKSHOPS UND SO**, aber vor ein bis zwei Jahren hab ich die „**BERLIN-HIPHOP-FRAKTION**“ gegründet, und durch diese Hiphop-Fraktion machen wir jetzt Förderprogramme, **DASS HALT JUGENDLICHE, DIE KEINE CHANCE KRIEGEN AUFZUTRETEN**, mit Semiprofessionellen auftreten können, das Gefühl haben, wie kann ich mit dem Publikum spielen, wie krieg ich mein Lampenfieber weg. Beatboxshows lernen die auch, und bei uns ist ziemlich wichtig, dass die Leute sich klar sind, **WENN SIE BEI UNS RAPPEN, DASS WIR KEINE GEWALTVERHERRLICHENDEN SOWIE SEXISTISCHEN LYRICS DULDEN!!** (Deniz Bax)

KARTELL - WIE VOM ANDERN STERN

OZAN SINAN
PRODUZENT KARTELL:

Ich hab **94 IM SOMMER** mit Ünal Üksel gemeinsam **YPSILON-MUSIK** gegründet und habe dann ziemlich schnell versucht, türkische Musiker, Acts quasi im ersten Entwicklungsstadium, zu finden, sie aufzubauen, um sie zu produzieren. Sind dann im Sommer/Herbst 94 auf die Idee gekommen, „Kartell“ zu produzieren. Wir haben dann eben gemeinsam „**KARAKAN**“, „**ERCI-E**“ und die „**CRIME POSSE**“ nach Berlin eingeladen und haben denen das vorgestellt und haben dann gemeinsam Ende 94 beschlossen, mit ihnen das zu machen. Haben im Mai 95 das auf den Markt gebracht in Deutschland und im August in der Türkei.

Warum das mit Kartell zu Ende ging? Man muss Folgendes sehen ... **IN DER TÜRKEI HABEN WIR INNERHALB VON DREI MONATEN 1,5 MILLIONEN ALBEN VERKAUFT.** Was ist passiert: Wir hatten einen enormen Schub bekommen, und natürlich ist davon ausgegangen worden, dass die Jungs und alle Beteiligten wie im Lotto gewonnen hatten, und das war nicht der Fall. Weil wir mit Deutschland den Vertrag hatten. Deutschland hat der Türkei für jede verkaufte Single einen Werbekostenzuschuss zugesagt, weil keiner zu dem Zeitpunkt davon ausgegangen ist, dass es sich so stark verkaufen wird. Bedeutete also: Mercury hat mehrere hunderttausend Mark zusätzlich zu dem Erfolg noch mal der türkischen Firma zahlen müssen, was dazu geführt hat, dass natürlich die Künstler hier in Deutschland nichts bekommen haben. Ein zweites Problem war die unterschiedliche Auffassung von Pflichten und Aufgaben. **WIR HABEN AN DER GANZEN GESCHICHTE NUR AN DEN KONZERTEN VERDIENT.**

Das ganze Thema von wegen **FASCHISTOIDER TEXTE IST IN DER TÜRKEI ENTSTANDEN**, und zwar aus dem Grund, dass man noch nicht mit so 'ner Musikkultur konfrontiert war. In den Staaten hat man das genauso wie in England, dass eben ethnische Bevölkerungsgruppen ihre Wurzeln auch ganz klar artikulieren. Und das war für Türken, der türkische Halbmond und der Stern zum Halbmond, was 'ne Standortbestimmung für die deutsche Gesellschaft war und auch ganz klar funktioniert hat. Das funktioniert in der Türkei natürlich nicht. Sodass man dort erst mal 'ne **SEHR KLARE WAHRNEHMUNG HATTE,**

KARTELL

MOMENT EINMAL, DIESE GRUPPE BAUT GANZ STARK AUF IHRE ETHNISCHE HERKUNFT AUF. Es ging weiter mit den Werten, die dann halt irgendwann mit den Werten der Faschisten definiert wurden.

Ich hasse Kartell. Weil die eigentlich gar nicht wussten, was die tun. **ICH KOMM MIR VOR WIE 'NE PUTZFRAU, DIE 10 TONNEN SCHEISSE WEGMACHEN MUSS, ABER DIE NUR EINE ZAHNBÜRSTE IN DER HAND HAT.** Die sind gekommen, haben hingeschissen, sind wieder weg, ohne was dafür zu tun, und jetzt denken alle Leute, sie sind abgeschreckt, weil das Türkische kartellmäßig ist und deswegen kommt auch die Kultur nicht weiter in meinem Land, eine einmalige Sache war das. (Fuat)

ERCI-E/MITGLIED KARTELL:

Und da hab ich halt gesagt: „Gut, die Amis machen ihr Ding, samplen James Brown, zu diesem Zeitpunkt noch verstärkt Aretha Franklin, die ganzen Motown-Sachen usw., aber wir haben ja auch 'ne andere Wurzel, wo wir herkommen." Und da hab ich versucht, einfach türkische Samples, **TÜRKISCHE MUSIKELEMENTE MIT DEM AMERIKANISCH**

BEEINFLUSSTEN HIPHOP, DEN ICH NUN IN BERLIN/DEUTSCHLAND MACHTE, ZUSAMMENZUBRINGEN, 'ne Synthese sozusagen zu machen. Das hat sich auch sehr interessant angehört. Oriental-Hiphop – das war ein Begriff, der erst damals irgendwie so im Umlauf war.

Man darf nicht vergessen, **ICH WAR NOCH SEHR JUNG**, so 21, und die anderen auch, und für fast alle von uns war Kartell die erste Veröffentlichung überhaupt. Es ist rausgekommen und **HAT EINFACH EINGESCHLAGEN.** Bombe. Das war nicht unser Ziel. Deswegen wurden wir ja selbst überrollt davon. Dann ist es in der Türkei noch einmal mehr abgegangen, erfolgreich geworden, wir haben annähernd eine Million Exemplare verkauft in der Türkei, in Deutschland haben wir sehr viel Medienrummel gehabt, wir waren im „Spiegel", „Stern", in fast allen Zeitungen, wir waren im TV.

Wir tauchten da in der Türkei auf zu sieben, **GLEICH GEKLEIDET MIT DEM KARTELL-T-SHIRT,** auf einem Musikmarkt, wo's größtenteils nur Popkünstler gibt, die alleine sind, Soloacts, da waren wir wie vom andern Stern.

Ein paar Titel dieser Songs: „**WO IST DAS GELD FÜR MICH**" ... ich will auch Geld, und dann ein Song von mir, „Party", dann hatten wir „Du bist Türke" ... heißt, du bist Türke, du kommst zwar aus Deutschland, aber vergiss nicht, dass du aus der Türkei kommst, sonst kriegst du Schwierigkeiten ... die Aussage ist da drin, sich aufzugeben, um zu passen, funktioniert nicht, also das, was du bist, musst du einfach sein, sonst wirst du sowieso unglücklich. **EIN SONG ÜBERS KIFFEN, DASS DAS HALT IM FRÜHEN ALTER NICHT SO GESUND IST** ... sozialkritisch einfach, das sind Hiphop-Themen gewesen.

Heute arbeite ich halt wieder als Moderator und habe die Zeit genutzt, um mein Studio auszubauen, um unabhängiger Musik produzieren zu können. Es ist in Planung ein neues Album, teilweise deutsch, teilweise türkisch ...

KILLA HAKAN:

ICH WAR IMMER IM KNAST – REIN, RAUS und irgendwo kam dann Boe-B. So 92/93 war das. Und irgendwann kam dann Kartell raus – türkisch Hiphop, und **DANN KAM BOE-B UND MEINTE:** „So he, Hakan, meinst du, das ist türkisch Rap?" Ich kannte ja damals nix anderes, ich hab ja nur Nigger-Rap gehört. Boe-B gleich sein erstes Ding, das er mir so gezeigt hat, hat voll eingeschlagen. Und **SEITDEM BIN ICH HARDCORE-HIPHOP**. Wir waren ja die 36ers und er war ja von der „36-Rapper-Gruppe". Sprüher hatten wir, wir

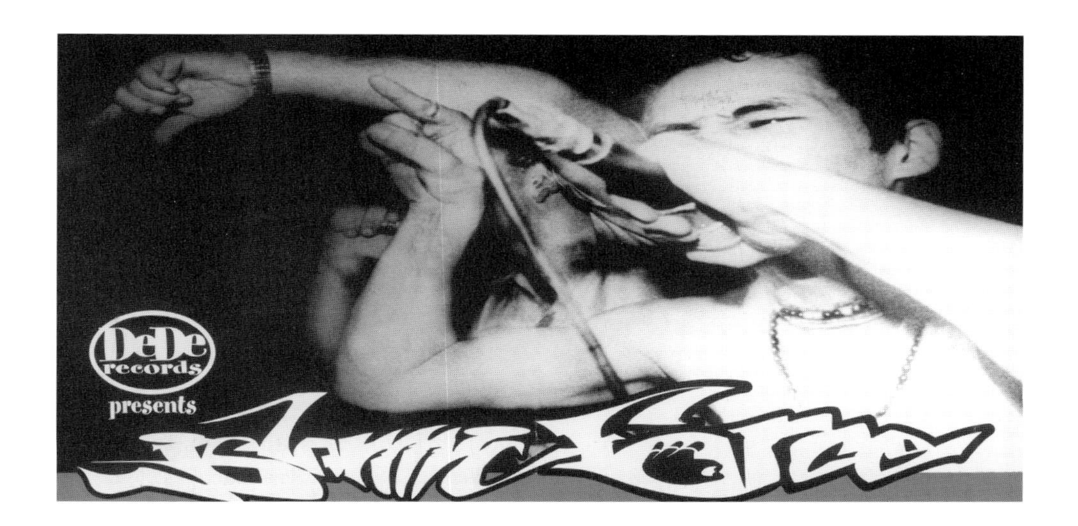

hatten Keiler (Schläger) und wir hatten Rapper. Die Keiler haben halt aufgepasst, so wie und was und wo ... die Krieger sozusagen. Boe-B war der einzige Rapper. Die Gruppe von Boe-B hieß „**ISLAMIC FORCE**". Ich hab mit Boe-B ein Album rausgebracht. Boe-B hat vorher so zwei Maxis rausgebracht, „My Melody", „The whole world is yours", und der hat schon damals sein Ding gemacht, schon 92.

Zum Beispiel meine Texte übersetzt: „Rede nicht, ruhig sein, weil es ist zu kalt draußen." **EINER, DER VON DER STRASSE KOMMT, DER WEISS GENAU, WAS SACHE IST.** Nicht mit ihm reden, weil die Bullen sind überall. **MIT KALT MEINEN WIR HALT DIE BULLEN.** „Einmal fliegen ist sehr billig, und

RAP IST KRIEGSGEBIET

jeder von uns hat die Tollwut." Wenn du hart gelebt hast, dann verstehst du das auch so. Das bedeutet: **EINMAL DROGEN NEHMEN IST SEHR BILLIG,** und jeder von uns macht das. „Das Leben ist hart, aber egal", „Spring unauffällig und wenn sie das merken, mach n'en Salto, dass man dich nicht erwischt."

BOE-B IST GESTORBEN ... bei uns sagt man so durch Kugeln, von Azrael. Kennst du Azrael? Das ist der Erzengel, der Sensenmann. Wir wollen aber darüber nicht weiter reden. Aber es wird einen Film geben, Tameryigit, der macht das, da in dem Film wird man dann sehen, warum. Im Sommer fängt der Film an.

Meine neue Maxi wird übersetzt heißen: „Wenn das das Geschehen ist, dann sind wir die Könige". Und mein Album wird heißen: „Lass den Hund in Frieden". **ICH THERAPIER MICH MIT MEINER CD AUF JEDEN FALL.** Ich hab auch viele neue Leute reingenommen in meine Musik, also gefeatured. Sesko, Ramasan, Murat ...

RAP IST KRIEGSGEBIET

FUAT:

93/94 hab ich so **ENGLISCHE LYRICS GESCHRIEBEN** und auf Jams haben wir so 'n bisschen gerockt, und 95 kam sofort dann die Entscheidung: Ich mach jetzt türkischsprachigen Hiphop. 99 hab ich mein Tape herausgebracht „**HASSIK DIR**", das ist so ein Teil von mehreren – 2001 hab ich den 2. Teil herausgebracht und bald beginn ich mit Teil 3. Und eine LP mach ich auch noch. Von der „Hassik dir" sind bestimmt jetzt unter 1000 verkauft. Ich verdien von den Auftritten und vom ersten Tape. Aber Hassik dir heißt auf Türkisch fuck off so. Bevor die überhaupt irgendwas sagen können, lesen die mein Tapetitel, und der sagt, „piss the fuck off".

Ypsilon Records war mein Label ... **MASSIVER VERTRAUENSBRUCH**. Das sind irgendwie Leute, die nicht in meine Welt passen. Ich brauch humanere Leute um mich, ich brauch Leute, die sozialer mit mir arbeiten, viel sozialer sind, und da bin ich wieder bei meinen Wurzeln, bei meinem ersten Label Royal Bunker.

Davon leben ... ich schwimme grade mal so mit der Nase überm Wasser, aber trocken bin ich noch lange nicht. **ES IST SCHON SO 'NE ART VENTIL FÜR MICH**. Dadurch kann ich echt meine **AGGRESSION SO BÜNDELN** und dadurch kann ich die aufs Blatt bringen und kann die dann auch verewigen ... Ich war mal gläubig und so, nach dem Tod hab ich ans Leben geglaubt, dass es dann 'ne Hölle und 'nen Himmel gibt, an so was hab ich geglaubt, und mit der Zeit hat sich das alles aufgelöst durch ... dadurch, dass man so realitätsnah ist und dadurch hab ich gesagt, so ne, **DER SINN DES LEBENS IST ES, DU MUSST SPUREN HINTERLASSEN UND DIE SPUREN MÜSSEN SO POSITIV WIE MÖGLICH SEIN**, damit andere was anfangen können damit und es weiterentwickeln. 'ne andere Sache, worüber ich nachdenke, ist ... wir sind sicher so 'ne Abart, so 'n Pilzgeschwür, weißte, was sich eigentlich ganz stark weiterentwickelt hat, und im Endeffekt sind wir echt 'ne krasse Abart, so 'n Virus, welcher die Welt langsam, aber sicher kaputtmacht.

Also ich hab 'ne **TÜRKISCHE HIPHOP-POSSE** um mich, so wie 'ne deutsche Hiphop-Posse. Bei den türkischen ist dabei Azra, Stress Sirtlan, Killa Hakan, Mik Baba, Schneider ... und von der anderen Seite ist es so „MOR" so oder „Beatfabrik".

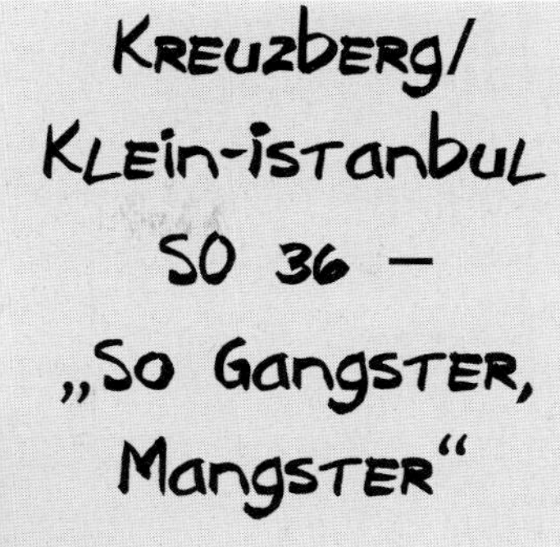

Ich kenn doch diese Gegend hier. Da rein, da raus ... zack, zack. Die Bullen wissen so die Wege nicht hier ... Straßen schon, aber die Lücken, Gassen, Massen ... das wissen die nich'.

Es gibt Schöneberg-West und Schöneberg-Ost. Und in Schöneberg-Ost wohnen halt die ganz krassen Türken, so wie in Kreuzberg. Mit den Familien, Kindern und verschleierten Frauen und so. Halt typisch. In West-Schöneberg wohnen halt Schwule, dann ist es auch ein bisschen bürgerlicher, ein bisschen netter, da wohn ich auch. Der Großteil wohnt in Kreuzberg und Neukölln. Da wohnt halt der Stamm der Türken. Vor sechs Jahren waren es noch offiziell 150.000, inoffiziell 180.000, aber jetzt sind's vielleicht 200.000 Türken – allein in Berlin. Die sind halt überall schön verteilt. Neukölln z. B. ist das totale Proletariatsviertel, da wohnen ganz üble Leute, die ganzen Kriminellen quasi, das ganze Pack. Jetzt wird man sagen, ich bin der superspießige Typ, bin ich nicht. Ich hab auch viel Scheiße gebaut in meinem Leben. **Mit den „Fighters“, mit denen ich damals herumhing, bin ich manchmal mitgezogen und hab ein paar Schlägereien mitgemacht,** hier und da einen Einbruch und dies und das gemacht. Drogen hier genommen, Drogen da genommen. Eben die Jugenddummheiten, die man macht. (Deniz Kumru)

Ich wohn seit 89 in Kreuzberg. **Das ist immer noch ein Stadtteil, wo's mir ganz gut gefällt.** Die Mieten sind verhältnismäßig billig und es ist ein Stadtteil, der mir ganz gut gefällt. Weil er eben sehr heterogen ist. Von der Bevölkerungsstruktur gefällt es mir gut. Dass es hier in Kreuzberg kriminell sein soll, das ist halt so ein **Thema der Presse,** aber im Alltag bin ich da noch nie in negativer Weise mit konfrontiert worden. (Thomas Arslan)

Es geht nur darum, du wirst dumm angemacht, in den Clubs, in den Diskotheken. **Dort hat dich jemand angerempelt,** man steht zwischen zwei Leuten, **und dann gibt's gleich eine Massenschlägerei.** Wegen irgendwelchem Schwachsinn. Ich hab's auch nie verstanden. So mental. Für nichts sich einfach zu schlagen und einen Messerstich zu riskieren? Ich hab einen Freund gehabt, der hat von echten Heavies so 'ne Schnittwunde gehabt. **Hier eine Narbe, die hat er jetzt fürs Leben, ein Leben lang. Der weiß bis jetzt immer noch nicht, wofür das war.** Also Schwachsinn. Und als dann die Gangs so etabliert waren in Berlin, dann gab's halt immer mehr Sozialstationen, auch Streetworker in Berlin. Da gab's halt dann so Treffpunkte wie die **„Blechkiste"**, da hat man sich dann getroffen, um nicht auf der Straße zu hängen. Da haben sie dann gekickt, oder Billard gespielt oder Karten gespielt. Oder es gab irgendwelche Bastelabende oder Friseurabende. Aber es ist zurückgegangen. Kriminelle gibt's zwar immer noch, aber nicht mehr in diesen Banden. (Deniz Kumru)

Kreuzberg

Ich hatte sehr viel Zeit nachzudenken ... ich habe sehr vieles durch diesen Fehler verloren ... aber auch sehr vieles gelernt ... wo ich verhaftet war, kam ich zuerst einmal **sechs Monate in U-Haft, dann durfte ich keinen Kontakt nach draußen haben** ... Also ich war in so einer kleinen Zelle, keinen Fernseher, keinen Strom, kein Radio, nichts ... Nur vier Wände konnte ich sehen, nach sechs Monaten bin ich dann vom Gericht rausgekommen, bin im offenen Vollzug jetzt ... ich muss immer nachts reingehen, schlafen und raus und arbeiten. Ich habe bis morgens drei Zeit mit meiner Familie wegzugehen – oder mit Kumpels – um drei muss ich da sein, schlaf ich, steh ich um zehn Uhr dreißig auf, muss ich um elf rausgehen und um zwölf arbeiten sein. Dann arbeit ich acht Stunden in so 'nem Imbiss ... Bevor ich im Gefängnis war, konnte ich mit Menschen nicht klarkommen ... also wenn jemand blöd mich angekuckt hat, habe ich gleich zugeschlagen ... aber jetzt versteh ich die Leute, wie die sind ... die sind freundlich, dann muss ich auch freundlich sein ... (Tevrat)

Die Abschiebungen werden natürlich auch immer thematisiert. Wir haben auch Ausweisungsschutz verlangt im Rahmen dieses neuen Gesetzes für junge Menschen, die hier geboren und hier aufgewachsen sind. Wir können es nicht nachvollziehen und nicht einsehen, dass Menschen, die hier leben, hier aufgewachsen sind, **doppelt bestraft** werden. Zum einen, dass sie hier ihre Strafe absitzen und dann aber noch in ein Land abgeschoben werden, das sie in der Regel nur vom Urlaub kennen. Viele haben ja auch keine familiären Bindungen mehr. Er ist zwar in einem Land, wo seine Großeltern oder Eltern herkommen, aber er hat keine soziale Bindung. **Und deswegen wollen wir auf Bundesebene einen Ausweisungsschutz durchsetzen.** (Özcan Mutlu, Grüner Landespolitiker)

Ich bin hier in Kreuzberg geboren. **Ich mag Klein-Istanbul hier in Berlin. Ich kiffe nicht, ich trinke nicht.** Früher hab ich das gemacht. Einmal in Jahr kann man schon so trinken mit Freunden, kann man schon. Ich hab zum Beispiel nur einmal gekifft, wo ich noch 15 war ... **und da hab ich mit „Eimer" gekifft.** Wo man da in einem Eimer Wasser so mal ansaugt ... und da hab ich es probiert und da war ich richtig so kaputt, Absturz ... und jetzt will ich nicht mehr. Das ist mein erstes und letztes Mal.

Die „Fat Backs" gibt's noch immer, von früher halt. Wir sind immer zusammen. Seit vier, fünf Jahren sind wir immer zusammen. Jeden Tag treffen wir uns hier. Spielen Karten, spielen Fußball, machen Training da und hier, wir sind Brüder so. Zum Beispiel: **Ein Freund kriegt Probleme, er ist alleine.** Zack, ein Telefon, zack, wir sind schon da. Dauert nicht lange, **fünf bis zehn Minuten, und wir sind schon da.** Da gibt's 'ne Menge Probleme, weißt du, ich lauf so, ein Scheiß-Araber stößt mir gegen die Schulter, weißt du. Was soll ich da machen. Ich kuck ihn gleich so an ... bamm ... die sind viele, die sind feige. Drei Leute auf mich. Und da greif ich zu meinem Telefon. Zack, sind schon vier, fünf da. Kein Problem. **Dann regeln wir das da. Hier ist das so in Kreuzberg.**

Die Naunyn-Ritze is geil. Ein Jugendprojekt ... das hing damit zusammen, damals war Kreuzberg, 88–92, ziemlich gewaltvoll. Da gab's da Zusammenschlüsse von Jugendlichen, weiß nicht, das war dann deren Territorium, was auch durch Amerika 'n bisschen rüberkam, dieses **Gang-banging** sozusagen. Und die berühmteste Gang aus Kreuzberg waren die „36ers" (thirtysixers) gewesen. 36, weil Kreuzberg früher 36 war, 1036 war das Ding, jetzt is' es 1078 ... was weiß ik wat. Du warst eben 'n 36er oder 'n 65er aus Wedding. Und da kam damals dann die Naunyn-Ritze, weil das der Jugendtreff da war und Sozialarbeiter und so. (Halil Efe)

Es ist ein großer Unterschied zwischen Wedding und Kreuzberg. Ist 'ne ganz andere Atmosphäre, eine ganz andere Architektur ... in Wedding ist alles ein bisschen abgeranzter und ein bisschen assliger, mir fällt es immer auf, dass am Samstag und Sonntag dort – weil mein Freund wohnt halt dort –, dass die Leute da s**chon um 14 Uhr zu saufen anfangen,** immer am Wochenende. (Serpil Turhan)

Heroin ist, seitdem ich denken kann, allgegenwärtig. Die türkische Connection reicht aus, um leicht an diese Droge ranzukommen. Weil teilweise Heroin über die Türkei nach Europa gelangt, und die deutschen Junkies kommen nicht so leicht ran wie die türkischen Junkies, und hier in dieser Gegend sind viele türkische Junkies. Man ist zwischen Junkies und Dealern aufgewachsen sozusagen – **Kottbusser Tor** zum Beispiel hier in Kreuzberg. Scarface hat schon viele Jugendliche beeinflusst, so von einem Nobody zum Größten zu werden, und die sind natürlich daran gescheitert. **Die Hauptdroge ist Haschisch.** Eine interessante Erkenntnis ist aber, dass türkische Junkies, also solche, die spritzen ... nicht verwahrlosen, so wie die deutschen Junkies zum Beispiel. Weil sie eine gesellschaftliche Abhängigkeit haben, also man kennt sie, sie gehören einer Familie an. Dieser gesellschaftliche Druck veranlasst sie nicht zu verwahrlosen. Sie können sich nicht gehen lassen. Sie können sich das nicht leisten. Sie müssen immer anonym Junkies bleiben. Das ist sehr interessant. **Ich glaube nicht, dass die Familie da was erfährt.** (Neco Celik)

Ich hab zu so 'ner gewalttätigen Gang gehört. Zu den „36ers". Hauptsächlich haben wir uns mit allen bekriegt. Aber es war nicht so, dass wir sie aufgesucht haben, sondern es gab Gerüchte, und ein Gerücht hat schon ausgereicht, um eine Schlägerei anzuzetteln. Man hat sich immer auf Hiphop-Partys getroffen, jeder ist dahin gegangen.

Ja, und dann steht man da ganz oben und dann wird man zum Gejagten. Wenn man den Thron besteigt, dann wollen einen die anderen entthronen und dann bist du der Gejagte sozusagen. Am Ende war ich der Gejagte. Mit deiner Freundin kannst du nicht so rumlaufen und so. Aber das war alles vor zehn Jahren. Heute gibt's nicht wirklich so Gangs mehr. (Neco Celik)

Wir „36ers" haben gegen alle gekämpft so. **Wir waren die Einzigen, die an der Macht waren, und wir waren gegen alle, gegen die Wedding-„Black Panthers".** Die „Shim-Shekler" waren noch vor den „36ers". Die waren so die Älteren. Danach kamen die „36er". „Shim-Shekler" heißt übersetzt die Blitze so. Bei meinem Song hab ich Shim-Shekler eingebaut. Das heißt übersetzt so: „Regen fällt auf meinen Kopf und Gewitter und Blitze donnern", am Anfang von einer Rap-Nummer sag ich das. (Killa Hakan)

Es gibt **zehn Tunnels hier in Kreuzberg** und die sind wir durchgegangen, und wir haben die alle ausgetestet, ob man hinten durchgehen kann ... wie und wo man durchkommt und so. **Dadurch sind viele gestorben** ... die Jugendlichen jetzt haben eben Schilder dran stehen, hier kann man rein und hier nicht. (Killa Hakan)

GHETTO
„Da rein, da raus ... zack, zack. Die Bullen wissen die Wege nicht hier ..."

Es ist auch so, dass sich die türkischen und die anderen Emigrantenvereine von der restlichen Welt zu sehr abkapseln. **Diese Ghettos entstehen zum Teil durch eine fehlgeschlagene Politik** ... aber zum Teil auch, weil die Leute, die hierher gekommen sind, alle gedacht haben: „Ich werde nur ein paar Jahre hier arbeiten und dann werde ich wieder zurückkehren." Aber jetzt ist es so weit, dass sie nicht mehr zurückkehren. Die Situation in der Türkei hat sich sehr verschlechtert. **Auf der anderen Seite haben sie hier für sich eine gewisse Infrastruktur – einen gewissen Lebensraum – geschaffen.** (Mehmet Emir)

„Da rein, da raus ... zack, zack. Die Bullen wissen die Wege nicht hier ..."

Ich denk mir, **als die Mauer noch stand,** da war Kreuzberg ein Randbezirk und das war dann schon so an den Rand gedrängelt, da wollte sonst keiner wohnen, und da hat es vielleicht schon so was Ghettomäßiges bekommen. **Die Leute genießen halt, wenn sie hier in „Klein-Istanbul" leben.** Das ist, finde ich, kein Problem. Probleme hatten die immer woanders, hatte ich das Gefühl. Also auch wo die Mauer noch stand, also da ging's immer um Ausländerfeindlichkeit und um dies und das ... und ich hab mir immer gedacht, also hier in Kreuzberg, da gehen die Deutschen beim Türken einkaufen und die Türken beim Deutschen ... das mischt sich alles irgendwie und die kommen eigentlich immer ganz gut aus miteinander, find ich so ...
(Fatma Souad)

Als Kind haben wir immer gekämpft auf der Straße. Wir sind mit ein paar Freunden da, die wir in so einer Partie gewohnt haben, wo sehr viel Ausländer dort waren, ein Ghetto sozusagen. **Durch dieses so genannte Ghetto kann man Jugendliche in einen Zustand bringen, dass sie aggressiv werden.** Die sich einfach am Rand fühlen und die denken, wir sind sowieso Scheißdreck für diese Gesellschaft. Die Eltern probieren rauszukommen aus diesem Ghetto und schaffen es nicht, dann kommt diese Arbeitslosigkeit. Da passieren Kämpfe jeden Tag. Man kämpft gegen alles Mögliche, gegen Freunde, gegen Leute, die von außerhalb kommen, es ist einfach Kampf – körperlich oder verbal – im Ghetto. Und allgemein sagt man dann: Ausländer sind aggressiv. (Stephane)

Ich hab Freunde, und so wie meine Familie, wenn sie dann rauskommen wollten aus dem Ghetto, das war unheimlich schwer. Die Leute haben einfach gefragt: „Wo wohnen Sie?" Und wenn man das dann gesagt hat, haben die so reagiert: „Ah wirklich? **Entschuldigen Sie, es gibt keine Wohnung für Sie momentan.** Alles belegt." Und das war falsch. Wir hatten Freunde, Franzosen, die dort innerhalb von zwei Wochen eine Wohnung gefunden haben und wir haben zwei Jahre gebraucht. Das war, als ich noch in Frankreich war. (Stephane)

Den Begriff **Ghettoisierung** benutze ich nicht, weil ich der Meinung bin, dass der nicht zutreffend ist. Wenn man in Kreuzberg rumläuft ... mag sein, dass man viele Menschen antrifft, die ausländisch aussehen, aber die Menschen dort, egal welcher Hautfarbe und welcher Kultur, **die leben gerne dort, und wenn es nicht immer ein Miteinander ist, ist es ein friedliches Nebeneinander.** Und unsere Aufgabe ist, dass das zu einem Miteinander wird, dafür kämpf ich ja. (Özcan Mutlu/Grüner Politiker im Berliner Landtag)

Menschen leben in Kreuzberg. Ich kann die Sache von beiden Seiten ankucken. Man kann sagen, diese Menschen integrieren sich nicht, diese Menschen fühlen sich nicht wohl, die Kinder von denen besuchen die schlechten Schulen, die Kinder spielen auf der Straße. Aber ich kann die Sache auch von der anderen Seite sehen: Wenn die Kinder auf der Straße spielen, haben sie später bessere Kommunikationsmöglichkeiten, sie können dann mit vielen Dingen besser umgehen. **Die Menschen leben in Kreuzberg, die können sich jeden Tag Fladenbrot und Döner kaufen.** Und in Kreuzberg leben ist schön. Und in Kreuzberg nicht zu leben ist auch schön. Das hätte man vielleicht früher überdenken sollen, aber dass Ghettos entstehen oder entstanden sind, also ich persönlich find das nicht negativ. Die Frage ist, wie geh ich damit um. (Ali Yigit, Morgenmoderator bei Metropol FM)

Zum Beispiel kommen Türken ein, zwei Mal in einen Laden hier, werden **nicht so willkommen geheißen, dann kommen sie halt nicht wieder.** Und dann sind sie halt nicht mehr in Mitte oder am Prenzlauerberg. Und so bilden sich halt Ghettos wie in Neukölln, Wedding und vor allem Kreuzberg.
Manchmal aber denke ich, man sollte nach Kreuzberg ziehen, weil das Leben viel französischer ist für mein Empfinden. Französischer, also türkischer in dem Sinne, dass es viel mehr Freude aufzeigt. Wenn ich so durch meinen Alltag gehe, denke ich mir oft: „Mein Gott, ich sehe so viele freudlose, buntlose Menschen, Gesichter, Fressen. Das ist so der Abturn." Und wenn ich mal auf dem Markt in Kreuzberg bin, da schreien sie, die Kinder und die Katzen und die Hunde, und da ist diese Freude gegeben. Schon was anderes.
(Belhe Zaimoglu)

RELIGION:
ICH TRINKE ALKOHOL, ICH ESSE SCHWEINEFLEISCH

... **ich habe Sex vor der Ehe** – das sind Sachen, die man nicht machen darf als Moslem, aber es ist halt nicht so, dass ich sage: „Ich muss mich da jetzt dran halten, obwohl ich diese oder diese Religion oder diese Erziehung hatte ... (Hatice Akyün)

Es ist wie bei den Katholiken oder bei anderen Religionen auch – es gibt welche, die sehr, sehr extrem sind – und die Taliban sind sehr extrem –, und es gibt auf der anderen Seite im Islam Leute **so wie meinen Vater, der einfach nur wollte, dass wir religiös erzogen werden.** Er glaubt an Allah und er glaubt an seine Religion und möchte, dass seine Kinder den Koran lernen, weil es die Pflicht jedes Moslems ist, seinen Kindern den Koran näher zu bringen. Deswegen hat er uns in die Koranschule geschickt. Es ist nicht so, dass wir eine Gehirnwäsche hatten, sondern wir sollten einfach den Koran lernen. Das ist genauso, wie wenn ein deutscher Vater oder eine deutsche Mutter ihr Kind irgendwie nach der Schule in den Firmunterricht schicken. Genauso war es bei uns auch – nach der Schule sind wir in die Koranschule und haben dann dort das arabische Alphabet gelernt und danach konnten wir den Koran lesen. Wir haben dann auch gebetet und gefastet – was halt so dazugehört. (Hatice Akyün)

Oder Weihnachten, ich hab niemals Weihnachtsstimmung oder Weihnachtsgefühle. Wenn ich mir irgendetwas ganz toll wünsche, dann sage ich nicht: „Bitte lieber Gott", sondern: „Bitte lieber Allah." Das Wort Gott ist irgendwie nicht geläufig – Allah ist halt geläufiger. (Hatice Akyün)

Ich denke, dass der Glaube aus dem Herzen kommen muss. **Auf keinen Fall mit fünf Mal beten am Tag** oder verhüllen, so was trifft einfach bei mir nicht zu. Meine Eltern sind genauso. Die sind auch nicht bedeckt, beten auch nicht fünf Mal am Tag ... (Arzu Isik)

Die Jugendkultur ist sehr heterogen, und so soll es auch bleiben. Es kann aber nicht sein, dass eine Gruppe überhand nimmt und sich auf ihre Wurzeln besinnt und damit auch zurück will. Diese rückwärts gewandte Bewegung, wie in Gemeindehäusern, in Moscheen, in den nationalistischen Verbänden ... diese

Gruppe darf nicht groß werden. Und damit diese Gruppe nicht groß wird, müssen wir für alle anderen **gleiche Chancen** schaffen. Nicht nur für alle anderen, auch für diese.
(Özcan Mutlu/Grüner Landtagspolitiker)

Ist das überhaupt notwendig, die totale Integration, was hieße das überhaupt? **In Deutschland versteht man, denke ich, unter Integration Assimilation.** Das heißt wahrscheinlich die Aufgabe von Religion bis Essensgewohnheiten. Ich würde mir Integration so vorstellen, wenn mehrere Religionen nebeneinander gleichzeitig existieren können. Dazu bedarf es aber eines gegenseitigen Blickes, eines Interesses und eines Akzeptierens, und zwar einer Mehrheit der Bevölkerung, welche die türkisch-islamische Minderheit als gleichwertig betrachtet. Deren Gewohnheiten, deren Religion, deren Werte. Solange das aber nicht der Fall ist, bin ich auch gegen dieses ewige Gerede von der Integration.
(Cem Dallaman, Radio Multikulti SFB)

RASSISMUS – »IN DER ÖSTERREICHISCHEN VERFASSUNG SIND NUR ÖSTERREICHER GLEICH – NICHT ALLE MENSCHEN«

Wenn du zum Beispiel einen **Stromzähler** anmeldest ... als Ausländer musst du 500 Schilling Leihgebühr zahlen: für Gas 500, für Strom 500 ... **wenn du Inländer bist, da brauchst nichts zu zahlen. Weil bei Ausländern könnte es sein, dass du das ausbaust und nach Hause mitnimmst** ... (lacht) ... das ist der Grund ... wenn du Aufenthaltsgenehmigung beantragst als Ausländer, musst du 70.000 Schilling auf deinem Konto nachweisen, aber wie viele österreichische Studenten haben 70.000 Schilling auf dem Konto? Gewisse Leute bekommen z. B. keine Kreditkarte, wenn du Ausländer bist. Was ich sagen wollte ... bei den einfachsten Dingen wirst du anders behandelt, da muss dich nicht unbedingt jemand zusammenschlagen, weil du Ausländer bist ... (Enis Turan/Bildhauerin)

Dann gibt es so diese negativen Geschichten, wo Magistratsbeamte oder Leute, mit denen man zu tun hat, einfach unfreundlich sind. Aber inzwischen bin ich so weit, dass ich sage, ich kann's nicht mehr einschätzen, ob sie einfach grundsätzlich grantig sind, weil wenn ich sie dann scharf anfahre, werden sie dann plötzlich freundlich. Vor einem halben Jahr war das so, da haben sie mich am Schwedenplatz kontrolliert und da hab ich meinen Pass nicht dabeigehabt, trag ich auch nicht, und **dann sagt der Polizist zu mir: „Sie wissen aber schon, dass Sie Ausweispflicht haben?"** „Ja, das weiß ich." „Und warum haben Sie Ihren Pass nicht dabei?" Entschuldigung, das ist mein Pass und den mag ich eigentlich nie mit mir herumtragen." „Okay, dann muss ich Sie jetzt mitnehmen aufs Kommissariat und ihre Personalien aufnehmen." **Sag ich: „Nein,** das müssen Sie überhaupt nicht tun, weil nach dem Wiener Gesetz bin ich dazu gezwungen, innerhalb der Stadtgrenzen von Wien meine Ausweispapiere bereitzuhalten. Sie sind jetzt verpflichtet, mit mir in meine Wohnung zu fahren, die übrigens nur fünf Minuten von hier entfernt liegt, und dort mir die Möglichkeit zu geben, Ihnen die Papiere auszuhändigen." Hat der blöd geschaut, ist knallrot geworden, hat nicht gewusst, was er tun soll, hat schon mit sich gekämpft, ob er aggressiv ... aber dann hat er doch versucht zu lächeln und hat gesagt: „Danke, passt schon." **Aber jemand, der nicht dieses Auftreten hat und nicht diese Information hat, den nehmen die mit und der sitzt vielleicht die ganze Nacht in Gewahrsam aufgrund dessen.** (Hikmet Kayahan)

Es gibt solche und solche Menschen. Damals bei der Regierungsangelobung hab ich das auch nicht lustig gefunden, dass alle Österreicher jetzt rechtskonservativ sind. Aber das Gleiche erwarte ich mir dann auch zum Beispiel bei dieser Terrordiskussion, moslemische Extremisten haben die Anschläge auf das World Trade Center und auf das Pentagon gemacht, aber es gibt viele Moslems auf dieser Welt. Aber was die Medien jetzt treiben, die gesamte islamische Welt in ein extremistisches Lager zu stellen ... wo z. B. in der „Zeit im Bild 2" bei einem Bericht von 300.000 Islamisten in Österreich gesprochen wird, welche unsensible Haltung. **Es gibt 300.000 Moslems in Österreich, aber diese 300.000 als Islamisten zu bezeichnen – sprich Extremisten, das ist fatal.** Was müssen die für ein Bild von mir haben, ich bin Moslem, ich bin kein praktizierender Moslem, sondern wahrscheinlich ein ziemlich schlechter Moslem, aber ich bin Moslem. Schluss, aus – die müssen jetzt glauben, ich bin auch Extremist ... die größte Gefahr ist die Pauschalisierung. (Hikmet Kayahan)

Da ist mir schon sehr viel untergekommen. Ja, dass sie gesagt haben die Scheiß-Tschuschen, die Scheiß-Ausländer, vielleicht haben sie schlechte Erfahrungen gemacht. Sie glauben immer, die Ausländer sind drogenabhängig oder ... das ist ja auch so, jeder glaubt, jeder Afrikaner ist Drogendealer, das stimmt ja nicht. Das ist bei den Türken auch so, jeder sagt, die Türken sind Kebab-Fresser, das stimmt ja nicht, wir gehen auch Pizza essen oder so (lacht). **Damit es besser wird, würde ich mir wünschen, keinen Haider. Ja das stimmt.** Wenn der Haider nicht wäre, dann wären die Leute nicht so negativ eingestellt. Der Haider redet immer urgesch... über die Ausländer und jeder klammert sich an das, was er sagt, jeder glaubt dann, es könnte besser gehen ohne die Ausländer oder so. Also ich find, die Ausländerfeindlichkeit ist noch stärker geworden, seit der Haider an der Macht ist. (Serda)

Ich hab jetzt nix gegen Radio oder so, aber in Ö3 oder in Energy haben sie vor einem Monat ca. gesagt, dass **eine jugoslawische Familie eine Bank ausgeraubt hat,** eine jugoslawische Familie. Und vorige Woche haben sie gesagt, dass eine 39-jährige Frau umgebracht wurde, also von wem ... natürlich von einem Österreicher, weil nur umgebracht gestanden ist. Wenn's ein Ausländer gewesen wär, dann wär ein Ausländer gestanden. (Serda)

Wie komm ich dazu, mich in der Straßenbahn beschimpfen zu lassen, wenn ich da meine eigene Muttersprache spreche ...? Wer besitzt dieses Recht ...? Das ist genau der Punkt. Wenn sich die Leute hier nicht wohl fühlen, werden sie sich auch nicht einbürgern lassen. (Ercan Yalcinkaya)

Es gibt auch manchmal Kunden, die sagen: „Nein, das akzeptiere ich nicht", und die gehen dann vom Laden raus. Er hat das einfach **nicht akzeptieren können, dass ein Türke Trachten produziert** und das ist nicht in seinen Kopf gegangen. Ja tschüss ... manche Menschen tun mir Leid, dass sie nicht global denken können. (Iskender)

Es gibt in Wien eine eigene Witzkultur. Man muss in Wien lange leben, damit man die Witze nicht ernst nimmt und darüber lachen muss. **Aber in jedem Witz steckt selbstverständlich eine wahrer Kern.** Die Witze darf man nicht persönlich nehmen, kurz, prompt und höflich eine Gegenantwort geben und dann „tschüss baba". (Birol Kilic)

Nach wie vor wird mein Nachname vom Briefkasten abgemacht. Das war ganz stark da am Prenzlauerberg, als ich nach Berlin kam. Das war der ehemalige Osten. Ich wohnte da, und immer wieder ist das passiert. Dann hab ich mit Edding-Stift geschrieben. Dann wurde er weggekratzt. Mit 'nem Eisenstück. Dann war da eines Tages vor meiner Tür so ein Zettel; „Nicht mehr lange", stand drauf – und ich fragte mich, was die davon haben, das ist ja auch Psychoterror. (Belhe Zaimoglu, Schauspielerin)

NAZIS:

«IN DER HANSSON-SIEDLUNG DA SAN IMMA DIE NAZIS GWESN«

Von dort ist der „Kaiser" – das ist der Boss der Nazis dort, also der Stärkste von den Nazis von Wien. Die gibt's heutzutage nicht mehr. Wenn die von der Hansson-Siedlung runtergekommen sind, **kommen die mit Bierflaschen und mit einer großen Weinflasche daher und Ziegeln in der Hand** ... und dann hat's Bomber gegeben. Wenn die runterkommen, wissen wir das – wir telefonieren untereinander – und dann treffen wir uns und gehen denen entgegen und haun alle ... Die schaun alle aus wie Skins. Weiße Schuhbänder, Bomberjacken ... T-Shirts mit Aufschriften – irgendetwas gegen Ausländer – und die Taschen haben die vollgestopft mit Werkzeug und so ... Ketten ... Waffen kann man sagen. Denen ist scheißegal, was passiert ... Die wollen halt zeigen, dass Österreich ihnen gehört ... nazimäßig. (Resul und Hakan)

Ich kenne keine Banden in Wien. Ich hab noch nie eine gesehen. Ich seh nur Jugendliche auf der Straße oder im Park ... ein paar Gruppierungen, die Basketball spielen oder herumhocken ... so ein Wir-Gefühl ... das ist alles. Banden ... nein. Rechtlich gesehen ist eine Bande eine kriminelle Organisation, die sich wirtschaftliche oder politische Vorteile durch ihre kriminellen Handlungen schafft ... so ist das juristisch gesehen. Und ich kenn keine Jugendlichen, die sich auf die Art organisieren ... (Ercan Yalcinkaya)

Ich bin aufgewachsen in Salzgitter, das ist in der Nähe von Braunschweig, Hannover. Dann sind wir nach Berlin gekommen mit meiner Familie und dann sind wir gleich in eine Gegend gezogen, die nennen wir Ghetto, und da haben sich so Ende der 80er Jahre die Gangs zusammengefunden – die „Fighters", die „Black Panthers", die „36-Boys" in Kreuzberg, die ganzen türkischen Gangs, die so richtig gefährlich und berüchtigt waren. Mit denen hing ich damals tagtäglich rum, aber ich war trotzdem kein Mitglied der Gang – ich hab damals mein Abi gemacht und die haben rumgehangen und Scheiße gebaut – haben sich geschlagen, haben gekifft, haben Drogen genommen. **Und da gab es wirklich fette Schlägereien** – aber hauptsächlich haben sie sich natürlich zusammengetan, um gegen die Nazis zu kämpfen ... Gerade nach Solingen und nach Möllen, als es die Anschläge auf türkische Mitbürger gab ... irgendwann hatten sie dann auch schon Waffen. Irgendwann fing es an mit Pitbulls und Messern.

Wenn dann Leute Ausländer umbringen, dann kriegen die lächerliche Strafen, ja ... zum Teil noch auf Bewährung. Ist ja klar, wenn wir die ganzen Nazi-Richter aus dem Dritten Reich noch haben, bitte schön, wie sollen die da anders Recht sprechen. Ist halt 'n Fascho-Land, was soll man da sagen. Die Strafen sind sehr unterschiedlich. Ich hab mal gehört von jemandem ... da haben sie jemanden umgebracht und die Frau von dem Opfer ist als Nebenklägerin aufgetreten und musste dann sogar noch die Prozesskosten zahlen, der Täter ist mit einem Jahr Bewährung rausgekommen ... also es ist so absurd, es ist unglaublich. Und die Frau ist dann zurück in ihr Heimatland nach Portugal und arbeitet sich jetzt den A... auf, damit sie die Gerichtskosten abbezahlen kann, weil ihr Mann hier von Faschos umgebracht worden ist.
(Fatma Souad)

sport:

autos – „kanakenkarren"

Meine Lieblingshobbys sind eigentlich Reiten, Schwimmen ... und solche Sachen. Aber ich liebe es, mit schnellen Autos mitzufahren. Das ist so ein anderes Gefühl, wenn du **mit zweihundertachtzig fährst auf der Autobahn ...** und du hast so eine Bodenhaftung. Das ist ein wahnsinniges Gefühl. Oder du machst ein Rennen und siehst, dass du grade vorne bist und gewinnst ... Zum Beispiel treffen wir uns auf der **Triester Straße –** am Abend ... so um acht oder um neun. Ich mach's nicht täglich, aber es gibt schon Leute, die jeden Tag kommen. Dann machen wir uns aus, wo wir das **„Hatzerl"** machen. Entweder auf der Triester Straße oder wir fahren auf die Autobahn. Dann geht's halt los. Zwei Autos ... oder wenn's mehrere Spuren gibt, machen wir's zu dritt. Wer verloren hat, der geht automatisch nach hinten und dann kommt der Nächste ... der Gewinner bleibt immer vorn.
Ab und zu wird das gefilmt ... da gibt's so einen Typen, der steht auf so was ... und der hat uns gefilmt und hat dann seine eigene Homepage gemacht – www.hatza.at heißt die. Wir fahren mit **Autos, die viel PS haben ...** zum Beispiel Honda Civic, Opel Calibra Turbo, VW V6 und so ... Im Moment kann ich's leider nicht machen, weil ich erstens kein Auto hab und zweitens keinen Führerschein. Ich fahr trotzdem mit dem Auto herum und ich liebe es, mit schnellen Autos mitzufahren. (Orkun)

Die machen alles in Ungarn. Bei vielen Autos ist nichts mehr original ... Felgen, Fahrwerk, Stoßstangen, Spiegel, innen alles verchromt, Lenkrand, andere Scheiben ... alles, was man an einem Auto herrichten kann. Es gibt bei dem Auto nix mehr, was man herrichten könnt ... aber das schaut aus – ein Wahnsinn. **Das ist ein dreier Golf V 6 ... Auffrisieren tun wir nix ... nur optisch.** Auffrisiert wird nur in Ungarn, nicht hier in Österreich. Aber denen trau ich nicht ... alles Pfuscher. Motorisch lass ich auch alles in Österreich machen ... Chip tuning, Nockenwellen, Kompressor, Turbo, Sportluftfilter, Krümmer, Kat raus, damits einen Klang macht, damit es recht laut ist, wenn man draufsteigt. Das ist ein geiles Gefühl, wennst das hörst ... **Mein Auto ist so blau, und wenn die Sonne draufscheint, ist es violett ... perlmutt.** So viel Rennen machen wir auch nicht, aber wenn jemand gejuckt werden will, dann juck ma ihn halt ... Dann machen wir ein Hatzerl und gewinnen ... was halt geht. Der fahrt dann mit auf die Triester Straße – wenn er nachkommt. Wenn nicht, hat er Pech gehabt. (Orkun)

Ich mach das seit zwei Jahren. So richtig hat mich die **Polizei** noch nicht kriegt – nur Radarstrafen ... mit zweihundertfünfzig. Das übernimmt derzeit mein Freund ... er hat derzeit noch den Führerschein. Sollten die den Führerschein entziehen, entziehen die seinen ... der fährt nicht Auto – der braucht den Führerschein nicht. Wenn du einen am Verkehrsamt kennst, dann lassen's den Akt dort irgendwo verschwinden oder so ... das funktioniert ... alles funktioniert. Mich haben s' vorige Woche das erste Mal erwischt ... **mit zweihundertvierzig ins Radar** ... Wir wissen eigentlich eh schon, wo die Radars stehen, aber das haben wir verpasst ... da waren wir wahrscheinlich zu happy oder so ... (Orkun)

Ich bin Installateur. Ich steck aber nicht mein ganzes Geld auf einmal hinein ... **In mein jetziges Auto hab ich hundertdreißigtausend reingesteckt** ... Das Auto selbst hab ich sehr günstig gekauft ... Dafür hab ich hundertzwanzig ausgegeben ... das war echt günstig ... der musste verkaufen ... Notverkauf. Ja, das ist schon viel Geld ... aber wenn ich die anderen seh, wie die ihr Geld in die Automaten reinstecken ... (Yalcin)

Das ist das, was mir Spaß macht. Die anderen gehen fort und das macht denen Spaß. Ich fahr lieber mit dem Auto herum ... das macht mir Spaß. **Ich mach das auch nicht wegen der Mädchen ... die krieg ich so oder so,** weil so häßlich bin ich nicht ... mit Mädchen hab ich überhaupt kein Problem. Ich brauch kein Mädchen, das nur wegen meinem Auto kommt ... so ein Mädchen brauch ich nicht ... (Yalcin)

Vor allem die **Golftreffs** sind ganz interessant. Vor allem in Kärnten ... das ist super. Nächstes Jahr fahr ich wieder hin. Vorher will ich aber eine bessere Farbe draufhaun ... das kostet aber ein bisschen viel ... fünfundsiebzigtausend ... da sind zwölf Farben drin ... die Farbe kennt keiner. (Yalcin)

autos

Im Sommer auf der Triester Straße sind zwei gestorben ... Türken. Die waren ein bisschen zu schnell und sind dann auf die andere Fahrbahn gekommen und sind da mit einem anderen Auto zusammengekracht. (Yalcin)

Wie mein Auto aussieht? Also – an meinem Auto wurde die Scheibe kaputtgemacht, ich weiß nicht, von wem, meine Reifen wurden geplatzt, ich weiß nicht, von wem – konnte es nicht rauskriegen, ich hab auch die Beamten, die Bullen angerufen, die meinten, ja, wir machen eine Anzeige, ja aber nichts rausgekommen. Also, ich weiß nicht, wer das war, vielleicht meine Feinde oder meine Kumpels, die sehr neidisch sind auf mich ... Zum Beispiel, **ich hab ein Auto, der hat kein Auto, warum kratzt der an meinem Auto,** zerplatzt die Reifen, macht die Scheiben kaputt ... Ich mach so was nicht. Wenn ich mit meinen Feinden etwas habe, ich rede mit ihnen. (Tevrat)

Autofahren ist mein Hobby. **Ich fahre gerne Kanaken-Autos.** Ich fahre gerne BMWs. Kanakenkarre sagt man. Das bringt mir Spaß. Es ist so ein Gefühl. Wenn man zum Beispiel Achterbahn fährt, kriegt man so ein Gefühl im Bauch, wenn ich mit einem Auto schnell von einer Ampel zu einer nächsten Ampel fahre, krieg ich auch so ein Kribbeln im Bauch, es macht mir irgendwie einfach Spaß; sonst interessiert mich in meinem Leben nichts. Auto, Frauen, Weggehen, Amüsieren – so was macht mir Spaß. (Tevrat)

Vor kurzem hatten wir mal eine Sendung über die Geschwindigkeitssucht bei männlichen türkischen Jugendlichen mit ihren tiefer gelegten Autos. Das hat ein Mädchen gemacht. Sie hat das sehr zurückhaltend gemacht, aber schon aus einer, wenn auch zurückhaltenden, feministischen Sicht. Sie hat diese Jugendlichen mit diesem eigenen Machobild konfrontiert, 35 Minuten lang. Am Anfang waren die Typen Machos. Am Ende bekam sie schon selbstkritische, weichere Töne von diesen Jugendlichen heraus.
(Cem Dallaman, Radio Multikulti SFB)

kung-fu, thai-boxen und so ...

Ich habe **Thai-Boxen** gemacht und Kung-Fu ... Fußball hab ich auch gespielt ... hab damit aber wieder aufgehört. Ich will immer beschäftigt sein. Thai-Boxen hab ich im dritten Bezirk – in der Metternichgasse – gemacht. Kung-Fu hab ich gemacht in der Triester Straße. **Es gibt sehr viele Türken, die Kampfsport machen.** Es gab schon viele Probleme deswegen – in der Vergangenheit. Jetzt will ich das nicht mehr ... Wir waren nicht bandenmäßig organisiert, nur Gruppen. Haben viel geschlägert damals ... Nach fünf Jahren hab ich gesagt: „Ich hör mit allem auf." (Resul und Hakan)

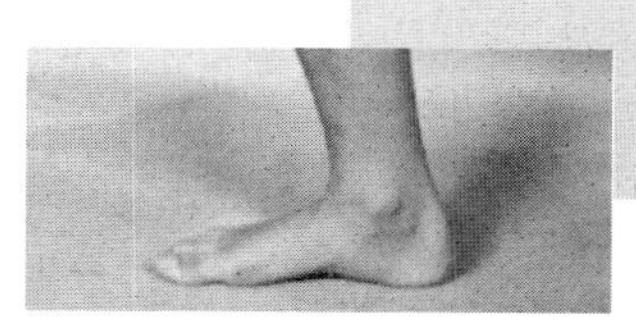

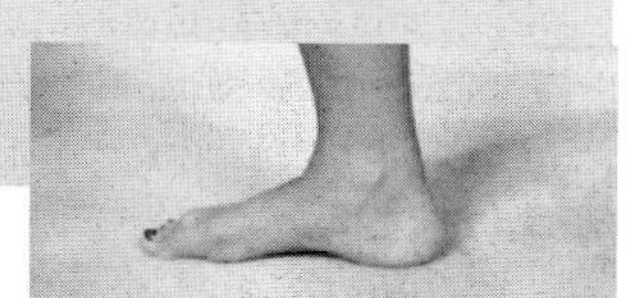

Dreimal war ich Europameister,
1985 hab ich schon angefangen mit Sport, so Laufen, Rennen, Springen und alles Mögliche, dann bin ich 86 zu Karate gekommen, weil ich so sehr beschäftigt war mit Shaolin- und Samurai-Filmen, ich hab mich fast davon geistig ernährt, und dann bin ich dazu gekommen, Karate anzufangen und das hat mir überhaupt nicht gefallen, und dann hab ich angefangen mit „Qwan-Ki-Do“, das ist diese vietnamesische Kung-Fu-Art. Und da hab ich dann aufgehört, nachdem ich diesen Wettkampf gemacht hab, dann hab ich „Taekwondo“ praktiziert, ich hab mit ein paar Freunden andere Sachen praktiziert. **So ein paar Straßenkämpfe, so 'n bisschen mit Freunden so ... darüber nachgedacht, wie wirksam unsere Kunst ist.** Und dann hab ich dann 88/89 in Frankreich einen Meister kennen gelernt, der nicht nur Kampfkunst angeboten hat. Also nicht Kampfkunst und gleichzeitig diese Energiearbeit. Und jetzt biete ich Kung-Fu an, aber gleichzeitig muss es mit Meditation und Qi-Gong zusammengehen. Sonst irgendwie ist man ein guter Kämpfer, aber vielleicht kein guter Bürger. Die Leute müssen wissen:

Kampfkunst bedeutet auch, gegen sich selbst kämpfen, gegen diesen unruhigen Geist. Man lernt seinem Körper eine Form zu geben, eine so richtig sportliche und gesunde, damit die Energie fließen kann. Ich glaube, der erste Grund dafür, warum ich Kampfsportarten angefangen habe, ist, dass es sehr viele Jugendliche gibt, die aus diesem Ghetto oder aus dieser Gesellschaft rauskommen wollen. (Stephane)

An was ich mich bei meinem Vater erinnern kann, ist z. B., dass wir immer in der Nacht, und zwar samstags **in der Nacht auf Sonntag, uns immer Boxspiele angeschaut haben.** Aus Amerika ... Boxveranstaltungen. Mein Vater, weil der hat sich voll dafür interessiert. Und das hat mich damals auch interessiert. Weil mein Vater sich dafür interessiert hat, hat mich das natürlich auch interessiert. (Osan Önal)

fußball

„alter, du volltrottel ... wo hast denn kicken g'lernt?"

Ich spiele Fußball ... **beim sc donaufeld.** Angefangen hat das, dass zuerst eigentlich mein Bruder zu spielen angefangen hat. Ich bin immer mitgegangen. Der Trainer da hat gesehen, dass ich den Willen gehabt habe ... damals war ich neun Jahre alt. Er hat gesagt: „Du sollst auch spielen." Am Anfang haben es aber meine Eltern nicht erlaubt. Mein Trainer hat es immer wieder versucht ... am Ende hat mein Vater dann die Zustimmung gegeben und ich hab dann auch zu spielen angefangen ... (Cengiz)

Ich spiel seit eh und je bei Donaufeld ... Nachwuchs ist WEV-Liga ... das ist die oberste Liga. Die Erste spielt derzeit in der Wiener Stadtliga. Also, da ist max-Bundesliga ... Erste Division ... Regionalliga und Wiener Stadtliga. Dann gibt's noch Unterklassen ... Unterklasse A, Unterklasse B, Klasse C und so weiter ... Wir sind derzeit in der **Wiener Stadtliga.**

Mein Ziel ist es, **Profifußballer** zu werden ... ich hoffe, dass ich es schaffe. Das Talent hätte ich ... und den Willen auch.
Aber ... heutzutage ist es so, dass du auch Bezug zu Vereinen brauchst ... größere Vereine ... sonst hast du auch nicht sehr viele Chancen. Ich bin türkischer Staatsbürger ... aber da gibt's keine Probleme beim Fußball ... überhaupt keine Probleme. Das ist egal. Zumindest derzeit nicht – wenn du Profifußballer wirst, gibt es schon Probleme. Aber beim Nachwuchs ... da gibt's keine Probleme. **Beim Profifußball dürfen nur acht Nicht-EU-Bürger im Kader sein** ... nicht mehr. Der Rest muss EU-Bürger sein ...

Ich will lieber in meinem Heimatland Fußball spielen ... es gefällt mir dort viel besser. Wenn's mal so weit ist, will ich wieder zurück in die Türkei. Mein Trainer weiß das auch ... Der hat dazu aber nichts zu sagen. Wenn ich einmal Profifußballer werde, dann geht es da nur mehr ums Geld ... wer's hat, hat auch die Spieler. Hauptsache, der Verein bekommt sein Geld ... dann bin ich weg.
Das ist so.

Mein Star?? **Al Turul ... spielt bei Sampson** – Sampson ist eine eigene Stadt in der Türkei, der Verein heißt Sampson Sport ... das ist ein Erstligist in der Türkei. In der Türkei kennt den jeder ... **der ist einmalig.** Der weiß, was er redet ... redet keinen Blödsinn und ist nicht hochnäsig ... redet realistischer halt. Alles, was der sagt, stimmt. Das ist ein ehrlicher Typ ...

In Wien gibt es keinen Favoriten für mich. Nein, nur in der Türkei. Die österreichischen Spieler spielen eh sehr gut ... es gibt super Talente. International verglichen ist der österreichische Fußball aber schon ein bisschen hintennach – im Gegensatz zu Holland oder Deutschland. Warum das so ist ...? Es gibt halt zu wenig Materialien oder der Verein kann sich das nicht leisten – was in Deutschland oder woanders sehr leicht geht. Die Vereine tun für den Nachwuchs nicht sehr viel ... deswegen. Rapid schaut auf seinen Nachwuchs, Austria schaut auf seinen Nachwuchs und ... Admira schaut auf seinen Nachwuchs. Mehr gibt's nicht.

In der österreichischen Nationalmannschaft gibt es keine türkischen Spieler ... zumindest nicht in der U 17. In der U 21 gibt's schon welche ... **aka gündiz** zum Beispiel. Der ist österreichischer Staatsbürger ... sonst könnt er ja nicht spielen. Wenn ein Spieler in der Türkei kein Angebot bekommt und Österreich macht ein Angebot und er ist österreichischer Staatsbürger ... dann spielt er auch für Österreich. Ist jemand nicht Österreicher, **dann kann er die österreichische Staatsbürgerschaft beantragen. Die kriegen das viel leichter** ... das dauert nicht einmal ein Monat.

Verdienen tu ich schon beim Fußballspielen. Ich hab mir aber heuer sehr viel verpatzt ... weil ich in der Türkei war. Ich hätte einen Vertrag bekommen, der ist aber zerplatzt, weil ich in der Vorbereitung nicht da war. Ich hätte in der Ersten gespielt heuer, bin aber jetzt nicht dabei. Trainieren tu ich schon mit der Ersten, ich muss aber erst in die Mannschaft reinkommen ... **Derzeit ist es pro Match ein Tausender.** Wäre ich da gewesen, hätte ich pro Monat achttausend Schilling bekommen. Das wär ein Jugendvertrag gewesen ... Es wird so ein halbes Jahr dauern, bis ich wieder in die Mannschaft reinkomme ... Sie trainieren schon seit sieben oder acht Wochen ... ich trainier seit einer Woche.

wenn türkei gegen österreich spielt, halt ich zur türkei ... ganz klar.

Wenn die Türkei gegen Österreich gewinnt, dann ärgern wir schon ein bisschen die österreichischen Mitspieler ... aber nur so zum Spaß. Wenn die Türkei verliert, ärgern sie mich ... so zum Spaß. Aber nach zwei oder drei Tagen ist eh wieder alles normal ... Wenn wir uns ärgern, sag ich dann: **„Hearst, du Schwabusch, spiel ordentlich!"**, oder er sagt zu mir: **„Hearst, du Tschusch, spiel ordentlich ...!"** Das ist aber nur Spaß. Da ist nichts dabei, solange das nicht ein Fremder sagt ...

Letztes Jahr haben wir mit der U 16 gegen **Rapid und gegen die Austria gewonnen.** Auch gegen Admira haben wir gewonnen ... Die Rückspiele haben wir dann aber alle drei verloren. Das hat sich dann wieder ausgeglichen ... Wenn wir gewinnen, gibt's nur Jubel ... wenn wir aber verlieren, lassen wir den Kopf nicht hängen ... weitergeht's. Wenn wir gegen einen Großverein gewinnen, machen wir zuerst einmal die Welle – die Fans verlangen das sogar. Dann in der Kabine wird gesungen ... „Zicke Zacke, Zicke Zacke, heu heu heu" – ganz laut. (Cengiz)

Die meisten türkischen Leute, die hier leben in Deutschland, haben Kontakt zu den deutschen und zu den türkischen Leuten. **Man hat auch seine eigene Sprache, verbale und nonverbale Sprache.** Ich gebe mal über Fußball ein Beispiel: Wenn ich was über die Champions League erzähle, dann sag ich, die türkische Mannschaft spielt heute gegen ... blaa ... und gleich danach sag ich: Und heute spielt Schalke 04 gegen Arsenal London und Borussia Dortmund gegen FC Liverpool. Das sind bei uns die drei wichtigen Mannschaften, die uns interessieren. Es interessiert mich nicht Barcelona ... natürlich schon ..., aber Barcelona kommt später als Turin, oder was weiß ich 'ne andere Mannschaft. Zuerst kommt die türkische Mannschaft und dann gleich die deutsche Mannschaft. Ein Teil also, was einen Deutschen interessiert, eben Borussia Dortmund oder Schalke 04, und einen Teil, was einen Türken interessieren könnte, Fenerbace oder Galatasarei. (Ali Yigit, Morgenmoderator bei Metropol FM)

Ich hab immer so ein Hefterl gehabt, wo ein österreichischer Fußballspieler drauf war. Die hab ich in- und auswendig gewusst. Und 1986, da hat's in Mexiko Weltmeisterschaft gegeben und damals hab ich auch ein Hefterl gehabt und da waren von allen Ländern Fußballer. Das hat mich so interessiert. (Osan Önal)

Seit acht Jahren spiel ich in einer Mannschaft, in einem Verein, ich spiel immer noch. **bei türkiyem spor.** Ja, ich will gerne Fußballer werden. Also die B-Jugend von Türkiyem Spor ist Regionalliga, die sind jetzt so richtig hoch, also die spielen oben mit. So wie Herta BSC und TB. Viele Fußballer in der Bundesliga und türkischen Liga sind von Türkiyem Spor. Ich bin ja C und die spielen auch ganz oben mit.

Freundinnen, die ein **KOPFTUCH TRAGEN MÜSSEN, DIE MACHEN HALT ALLES VERSTECKT.** Die tragen unter dem langen Rock einen Minirock, und wenn sie dann rausgehen, ziehen sie den langen Rock aus. Da gibt's genug. Die machen das dann und sind öfter noch ärger. (Sibell Temel)

Also, der **EINSIEDLERPARK** wurde zum **MÄDCHENPARK** umgebaut. Vorher gab's nur einen Spielkäfig, und um den haben wir uns mit den Buben gestritten, und jetzt gibt es halt zwei und in der Mitte ist eine Bühne, und jetzt geht das viel einfacher. Die Jungs haben uns meistens nicht reingelassen vorher in den Spielkäfig und haben uns mit Bällen beworfen, also abgeschossen. Ich bin dort vier Jahre in die Schule gegangen und das war halt meistens so.

BEI UNS DÜRFEN DIE FRAUEN NICHT ARBEITEN ... Wenn ich heirate, darf meine Frau nicht arbeiten ... warum soll sie arbeiten ...? Ich hab meine Frau für mich genommen, sie gehört mir. Warum soll sie arbeiten? Ich bin Moslem, ... aber nicht so streng. Mein Vater ist sehr strenggläubig ... und das will ich auch nicht verurteilen. Ich sag nicht, dass sie meine Sklavin ist ... aber ich geh Geld verdienen und sie soll mich ernähren ... sie kocht. Für mich ist das ganz normal. Warum soll meine Frau zu irgendeiner Firma hingehen ...? Von mir aus darf sie das nicht ... oder, wenn ich mit meiner Freundin in irgendein Lokal reingeh – sie ist Yugo – und ein Typ schaut sie an ... was soll ich dann machen ...? Bin ich ein Zuhälter, dass ich das zulasse, dass der sie anmacht? Dafür bin ich da ... sie ist ja meine Freundin. Ich hau ihm nicht gleich auf die Goschn ... (Resul)

Mit dem **PAPA MEINES KINDES** war ich ein Jahr zusammen. Der hat auch hier in Österreich gelebt – jetzt ist er in der Türkei. Wir haben uns nach der Geburt getrennt ... Die türkischen Männer sind aber sehr anstrengend. **DIE SIND SCHON SO MACHOS.** Mit denen muss man gut wissen umzugehen ... es gibt da aber kein Rezept. Egal, wie modern sie sind oder wie modern sie sich geben, sie sind trotzdem türkische Männer und haben einige schlechte Seiten an sich. Fast alle sind eifersüchtig ... Wenn jemand ihre Freundin anstarrt oder mit ihr redet, dann gibt's gleich Eifersuchtsszenen oder Streitereien zwischen den Partnern ... Aber gut, es gibt auch österreichische Männer, die eifersüchtig sind ... Die türkischen Männer sind da aber in der Mehrheit – würd ich sagen. Ich weiß auch nicht, warum das so ist ... **LIEGT WAHRSCHEINLICH AUCH AN DER ERZIEHUNG.** Wenn sie Schwestern gehabt haben, dann haben ihnen ihre Eltern gesagt, dass sie auf sie aufpassen sollen und dass sie kein Mann ansprechen darf und so – das denk ich mir aber nur. Meine Brüder sind zwar auch eifersüchtig. Die dürfen aber nur auf ihre Frauen eifersüchtig sein, nicht auf mich ... das geht nicht. **ICH BIN FÜR MICH SELBST VERANTWORTLICH.** Ich sag ihnen direkt, dass sie sich nur um ihre Frauen kümmern sollen ... um mich kümmere ich mich selbst. Ich glaub aber, dass sie das in ihrem Stolz verletzt. Und seine Freunde muss man halt erziehen. (Zehra)

MEINE ELTERN WISSEN NATÜRLICH NICHT ALLES VON MIR. Es ist aber auch nicht so, dass das schlimm ist, dass sie das nicht wissen. Warum sollte ich meinem Vater erzählen, wie oft ich Sex habe im Monat? Also, das sind so Sachen, das macht ein deutsches Mädchen auch nicht. Warum sollte ich einen kurzen Minirock tragen, wenn ich meine Eltern besuche? Ich weiß genau, das verletzt meinen Vater. Ich breche mir ja keinen Zacken aus der Krone, wenn ich einen langen Rock anziehe. (Hatice Akyün)

EINE FRAU BLEIBT EINE FRAU. Eine schöne Frau bleibt eine schöne Frau, egal ob sie eine Türkin ist oder eine Deutsche. Aber ein türkischer Mann hat es wesentlich schwerer als eine türkische Frau, weil – natürlich ist man immer so ein Exot –, wenn man die Sprache spricht, wenn man angepasst ist, wenn man dem westlichen Sexsymbol entspricht, dann hat man's als Frau einfach, ein Mann hat's da wesentlich schwieriger, außer halt, dass viele deutsche Frauen auf dunkle Männer stehen oder auf dunkle Augen ... (Hatice Akyün)

JETZT DARF ICH NIMMER SO OFT WEG, WEIL ICH JETZT SITZEN GEBLIEBEN BIN. Ich mein, normalerweise darf ich eh nicht weg, wenn ich mei-

nen Eltern zuhöre und denen folge, dann darf ich überhaupt nicht weg, weil die mich am liebsten einsperren und nicht rauslassen, ja. Sie können aber nichts machen, wenn ich nicht drauf hör. Ich geh einfach raus ... ich sag gar nichts ... ich geh einfach raus, ich zieh mich an ... was soll ich machen, am Anfang hat's schon Streitereien gegeben, aber ... (Ebru)

Es gibt eine in unserem Bekanntenkreis, die hat einen im Internet – **IM CHAT – KENNEN GELERNT** und die hat ihre Kinder und ihren Mann hier gelassen und ist weggelaufen nach Deutschland, jetzt lebt sie dort und jetzt dürfen wir alle, meine Freunde und wir, alle, die das gehört haben, wir dürfen kein Internet haben ... weil wir jemanden im Chat kennen lernen könnten und ... (Ebru)

Grrrrrls

Ich hab einen gewissen Standpunkt zu vertreten gelernt und versuche, diesen Standpunkt zu vertreten. Deshalb musste ich von meiner eigenen Identität ein Stück aufgeben und versuchen, ein besserer Österreicher zu werden oder ein super Europäer zu werden. Es ist ja nicht so, dass alle in Österreich alles haben ... Kaum hat einer keine Arbeit, wird er psychisch krank. **Die sozialen Beziehungen hier sind im A...** . Ich hab halt das gewisse Draufgängerische gehabt – ich könnte auch nach zwanzig Jahren noch hier sitzen, meinen Kaffee trinken und blöd herumschauen ... Natürlich, wenn ich Zeit habe, genieß ich schon die Kaffeehauskultur hier und les die Zeitungen oder denke nach ... hätte ich das nie gemacht, würde ich in einem türkischen Lokal sitzen und Karten spielen oder in einer Moschee sitzen und mir irgendwelche Phrasen von religiösen Menschen anhören ... Das Künstlerleben ist nicht einfach. Die meisten Emigranten wissen gar nicht, dass es solche Menschen wie mich hier überhaupt gibt, weil die haben ganz andere Interessen ... außer, man ist ein Star und tritt im Fernsehen auf ... dann ist die Achtung der anderen da.
(Mehmet Emir)

Literatur – »Schubladisierungsmentalität«

Meine Literatur beschäftigt sich immer so um den einen Kernsatz meines Lebens, um die **Aufarbeitung meiner Geschichte.** Weil natürlich hab ich tscherkessische Einflüsse in mir, natürlich hab ich türkische Einflüsse in mir, ich bin in Deutschland sozialisiert und viele meiner österreichischen Freunde nennen mich manchmal Piefke ... und natürlich, nach elf Jahren Wien hab ich natürlich österreichische Elemente in mir. Das heißt eine hybride Struktur ... ich kenne auch kaum Österreicher, die nicht irgendwelche anderen Ecken und Kanten in ihrer Biografie haben, **diese Worte wie echter Österreicher, oder 100 % österreichisch oder echter Türke, das ist immer sehr kompliziert.** Und meine Literatur beschäftigt sich eigentlich immer mit Wurzeln, mit Identitäten, mit diesen Strukturen, die durch Menschen gehen, durch Gesellschaften gehen, durch Familien gehen, das ist eigentlich so der Kern meiner Literatur. (Hikmet Kayahan)

Diese **Schubladisierungsmentalität.** Das ist Hiphop und das ist Breakdance, und bei Literatur ist es nicht anders, da ist es expressionistisch, und das ist das und jenes, und wenn man mit einem anderen Namen, einem ausländischen Namen Literatur in Deutsch schreibt, ist sofort die Zuschreibung **Ausländerliteratur** da. Man kann sich eigentlich mit dem Thema Liebe beschäftigen und somit auch bestimmte Fragen der Identitätsstiftung aufwerfen. Wenn man ihnen dann Texte hinknallt, die vordergründig gar nix zu tun haben mit „Gastarbeiterproblematik", dann sind sie enttäuscht. Meine Erfahrung bei den Lesungen war dann einfach, dass die Leute Texte erwartet haben **– nach dem einfachen Strickmuster – armer Gastarbeiter,** böse Mehrheitsgesellschaft, so immer das Karitative irgendwie. (Hikmet Kayahan)

Ich denke, dass es in der türkischen Literatur überhaupt nicht diese Vorstellung gibt, von den Individuen, wie in der deutschen seit 100 Jahren, die da immer an der Welt verzweifeln und am Ende machen sie Selbstmord. So wie Thomas Bernhard oder Hermann Hesse oder so ein Kram. Die Leute sind irgendwie mehr aufgehoben in so einem sozialen Gefüge. Es gibt das im Türkischen nicht so, dass Leute an sich selbst verzweifeln, daran sterben oder sich gar selbst töten. Es ist in dem Sinne eine positivere, optimistischere Literatur, würde ich sagen. Soll keine Wertung sein. Thomas Bernhard ist gut, aber es ist eine andere Welt. **Die türkische Literatur ist viel sozialer.** Es gibt eben diese Individuen nicht, deren Leben beschrieben wird. Oder deren Nicht-Leben. Es geht immer um einen gesellschaftlichen Kontext. Auch wenn's Krankheit oder Tod ist, ist es mehr ein kollektives und nicht so individuelles Erlebnis.
(Ali Gunay Koray)

Bildende Kunst – »Grenzenlos«

Meistens arbeite ich an einem gewissen Konzept. Das sind teilweise die Themen, die mich stören oder glücklich machen. Feminine Formen verwend ich sehr viel. **Geschlechtsorgan von Frauen als Form verwend ich sehr oft.** Da ist eine Installation, die ich für den Abschluss gemacht habe. Da hatte ich als Thema afroamerikanische Religionen und da hab ich Symbole verwendet ... da ist eine Installation, wo ich auch 8-mm-Film verwendet habe, da sind Flammenaufnahmen im ganzen Raum gewesen ...

projiziert auf alle fünf Wände, und dieses Objekt ist voll Wasser, der Film ist ohne Ton aufgenommen worden und zu hören waren nur die Wassertropfen. Und das ist eine Form für Fruchtbarkeit, wie die Inkas sie öfter verwenden. Das ist auch irgendwie ein Becken einer Frau, und da sind meine Haare ... in den afroamerikanischen Religionen gibt es verschiedene Götter und jeder hat ein verschiedenes Element, einen Wochentag, Farbe, eine bestimmte Speise ... **und das war der Ausgangspunkt, das ist die Erde, Metall, Wasser, Feuer und im Raum die Luft.** (Enis Turan)

Nur mit der türkischen Kultur hab ich mich nicht auseinander gesetzt. Das bin ich alles, was ich da mache ... Das zum Beispiel, das ist ein Holzstück und ein Lederfleck. Wenn du dir das Holzstück wie ein Land mit Grenzen vorstellst und ich bin das Lederstück, das ist außerhalb der Grenze ... (Enis Turan)

Diese Arbeit heißt Extremismus: Ich hab die Texte von den Briefbomben verwendet, als Schrift hab ich die gotische Schrift genommen ... **Seit dem Zweiten Weltkrieg hat sich nicht vieles verändert. Damals war man gegen Juden und jetzt ist man gegen Ausländer. Es hat sich nur das Feindbild geändert.** Und im Raum waren Schreibmaschinengeräusche und Radiogeräusch mit einer Endloskassette mit Marlene Dietrich zu hören. Das ist auch wieder eine große Symbolik zum Zweiten Weltkrieg. Die Schreibmaschine, die ich verwendet hab, stammt aus den 40er Jahren, Kappel heißt die, die Deutschen waren sehr stolz auf diese Marke. Auf einer Seite fühlt man sich auch unsicher und verängstigt ... ich habe wirklich gedacht, dass das mir passieren könnte ... (Enis Turan)

In Österreich als junger Künstler, egal wo du hingehst, ob in ein Museum oder in eine Ausstellung, da gibt's immer die gleichen Namen ... das ist aber allgemein ein Problem. Wien ist auch eine Stadt, die nicht so viel Kunst hat. **Außer in der Musik ist die Szene ziemlich tot in Österreich.** Die Türkei ist ein ganz anderes Kapitel. Da fängt Kunst erst in den 50er Jahren an. Vorher waren Griechen und Römer. Und dann im Islam waren Skulpturen und Formen sowieso verboten. Ikonen sind verboten. Da haben sie Angst gehabt, dass die Menschen dann an diese Ikonen glauben. Deswegen wirst du auch nie ein Bild von Mohammed sehen. Es gibt nur einen Allah und der hat keine Form. Aber wirkliche Tradition gibt es in der islamischen Welt keine. (Enis Turan)

Film – »Urban Guerilla«

Fati Akin ist einer der bekanntesten Regisseure. Z. B. mit Moritz Bleibtreu, da hat er den „Juli" gemacht. Einer der besten Regisseure – also nicht einer der besten türkischen Regisseure, sondern einer der besten Regisseure in Deutschland.

Thomas Arslan/Film- und Drehbuchautor

Das deutsch-türkische Thema ... ich bin deutsch-türkischer Herkunft ... **ich hab das jetzt in 'ner Trilogie behandelt,** weil ich das nicht als mein ausschließliches Thema betrachte ... der nächste Film wird dann mal so rein gar nix damit zu tun haben. Überhaupt, einen Film, der die Realitäten des Alltags so richtig ernst genommen hat, da gab's halt noch nichts oder kaum was. Und da waren und sind auch schon noch diese Klischeebilder des Fremden so dominant und das war schon auch unter anderem ein Grund, diesen Film zu machen und dann noch zwei weitere. **„Geschwister"** ist so der erste Teil dieser Trilogie. Da geht's um drei Geschwister, die aus dem deutsch-türkischen Umfeld kommen, das heißt Mutter Deutsche, Vater Türke. Der Film erzählt halt so von dem parallelen Alltag, wie die so mit den unterschiedlichen Herkunftselementen umgehen. Bei **„Dealer"** geht's um 'ne Geschichte von jemandem, der so mit Kleindealerein sein Geld verdient und diesen Zusammenhang verlassen möchte, aber

nicht weiß, wie er das anstellen soll. Und er verfranst sich dann so völlig. **„Der schöne Tag"** ist der dritte Teil dieser Trilogie: da geht's um 'ne junge Frau, die so Anfang 20 ist und Ambitionen als Schauspielerin hat, aber eben noch in absoluten Anfängen ist und ihr Geld als Synchronsprecherin verdient. Der Film beschreibt so einen Tag in ihrem Leben, wo sie sich auch von ihrem Freund trennt und sich auch so Fragen über ihr Leben stellt, wie man mit der Liebe so umgeht, was man von der Liebe erwartet und wie man glücklich sein kann. Das ist eben so der letzte Teil dieser Trilogie.

Ich will mich eigentlich auch nicht als türkischer Filmemacher verstehen. Ich bin hier geboren ... deutschen Ausweis, und somit seh ich mich ganz simpel als deutschen Filmemacher, ohne mich jetzt mit zu verbinden. Der Produktionsstandort meiner Arbeit ist eben Deutschland, und somit sind das ganz simpel deutsche Filme und deutsche Geschichten, die ich erzähle, insofern find ich dieses deutsch-türkische Etikett auch nicht zwingend.

Serpil Turhan, Schauspielerin

Damals mit dem ersten Filmprojekt 96 war das alles nur ein Zufall. Neco hat mich angesprochen, wir kannten uns gar nicht, nur vom Sehen, weil er da Erzieher schon war, der hat gesagt, geh da hin, die suchen ein türkisches Mädchen so, das wär genau das Richtige, dann bin ich hingegangen und das hat geklappt so. **Der erste Film war „Geschwister".** Nach „Geschwister" sind dann andere Projekte gefolgt. Ein längerer Kurzfilm mit Neco zusammen, und dann hab ich angefangen Theater zu spielen, hab Workshops mitgemacht, in der Naunyn-Ritze und in Berlin-Mitte. Und dann kam jetzt wieder **das größere Projekt mit Thomas Arslan 2000.**

Das war ja auch bei den Filmen mit Thomas das Schöne. Als mir Thomas das Drehbuch gegeben hat ... ich hab's gelesen und ich fand's voll cool, weil das einfach auch auf superviele andere junge Mädchen zielt. Viele andere Mädchen eben, die nicht türkisch sind, wo auch immer her, aus Bosnien oder was auch immer, die ganz normal irgendwie 'nen Job haben, irgend 'nen Traum oder eine Problematik im Kopf oder nicht so wissen mit Liebe oder Freundschaft oder Lebensweg so, ein paar Fragen an das Leben. In den Filmen mit Thomas taucht das eben nicht so auf, dass es jetzt eine Schwierigkeit gibt, dass ich Türkin bin oder ob ich jetzt deutsch bin oder türkisch.

Bei Necos neuem Film **„Urban Guerilla"** beim Hiphopfilm. Das war superlustig, weil ich kam aus dem Urlaub aus der Türkei und wir haben uns aus Zufall getroffen und er hat mich gleich angequatscht, dass er jetzt ein Projekt hat und er möchte, dass ich mitmache. Es sind ja da mehrere Geschichten in diesem ganzen Hiphopfilm und da geht's unter anderem um drei Sprüherinnen. Drei Mädchen, die so in einer Gruppe sind und die sich **„3 Angels of Magic"** nennen. Und ich spiel eine dieser Sprüherinnen. Da bin ich schon so 'n bisschen hart drauf und spreche ziemlich ordinär und flippe aus und schlage jemanden

auch mal kurz zusammen und
breche in 'nen Laden ein ... also ziemlich unweiblich, ne ... es is schon so, dass wir weiblich dastehen, dass wir nicht irgendwie in Baggy-Pants rumliefen, nicht so völlig abgefuckt, wo man nicht unterscheiden kann, ist sie nun 'n Mädchen oder ein Typ.

Ein Beispiel für so 'n klischeehaften Film: Irgendwann hab ich nach „Der schöne Tag" 'nen Anruf bekommen von irgend'ner Castingfrau, die hat über 3000 Ecken meine Nummer, und die hat jemanden gesucht für 'ne riesengroße, **für Sat1 oder 'nen richtig dicken Sender, für irgend'ne Polizeiserie** ... ich weiß nicht mal wirklich, was es war, und die brauchten unbedingt ein türkisches Mädchen, was schon Erfahrung hat. Und dann hab ich diesen Anruf bekommen und die hat gesagt: „Können Sie bitte zum Drehort kommen", und bla, und dann bin ich da hin und kam da an; war absolut busy da alles und riesengroßes Filmset direkt am Ku'damm, und dann hab ich mich da hingesetzt und auf die Frau gewartet, die kam dann an mit 'nem Drehbuch, hat mir irgendwie nur das Drehbuch hingehalten, hat mir weder gesagt, um was es geht oder sonst was, die war total unfreundlich ... egal ... **und dann ging's darum, dass ich in irgend 'nem Dönerladen arbeiten sollte und die Hauptfigur anlächeln** und in 'nem halb gebrochenen Deutsch reden sollte ... das war absolut niveaulos, und es ging auch darum, ich sollte den dann küssen und wegen der Freundin, die sollte mich dann irgendwie angreifen und ich hab dann nur gesagt, ganz freundlich, dass sich das für mich erledigt hat, dass ich das nicht machen will. Die hat mich dann sofort angegriffen und meinte dann: „Das ist wegen dem Kuss, was ... man hat mir gesagt, du hast Erfahrung, was hast du jetzt für ein Problem, is' doch alles okay!", und dann hat sie sich 'nen Typen vom Set geschnappt, 'nen Aufnahmeleiter: „Jetzt machst du das mal hier auf der Straße, jetzt improvisierst du das mal!", und ich hab gesagt, ne, ich mach das nicht, und sie war dann gleich so „warum nicht", und ich so nein, ich mach das nicht, bin aufgestanden und gegangen; und 10 Minuten später hat sie mich wieder angerufen und gesagt: „Ach kannst du bitte nicht doch noch mal kommen und wir haben uns missverstanden ..." Und sie hat's einfach nicht gerafft, **dass ich keinen Bock hatte, irgend so 'ne verfaulte Rolle zu spielen.**

Neco Celik, Filmemacher

Die Thematik is unterschiedlich. Ich hab mal 'nen Film über Heroin gemacht, einen Dokumentarfilm, wo alles inszeniert war. Mein letzter Film geht über junge Leute, die in der Hiphop-Gesellschaft leben. Aber das sind zwischenmenschliche Beziehungen. **Ich erzähle Liebesgeschichten wie Robert Altmann in „Shortcuts"**, so mehrere Storys, und da geht es auch um zwei Graffiti-Künstler und um zwei Musikproduzenten, um einen Breakdancer, wo die Freundin nicht kapieren möchte, warum er am Boden rumkriecht und sie will eigentlich ein Hochzeitskleid so ... Dann geht's um die Musikproduzenten, einen da spiel ich selber, da wollen wir ein paar Jungs aus dem Keller rausholen, so Rapper, die mit der Hiphop-Industrie nix zu tun haben wollen. Dann startet der Musikproduzent eine Party, wo er Flyer verteilt, und die Jungs kommen hin und dann mach ich von denen so heimlich Aufnahmen oder so. Da gibt's auch noch eine Frau in dem Film, die treibt die Kohle auf für die Studios, und ich sollte halt als Gegenleistung die Rapper angeln. Und die ist dann auch noch verliebt in mich und ich krieg nix mit, weil ich nur auf die Rapper fixiert bin und am Ende sammeln sich die ganzen Storys so auf meiner Party sozusagen, und dort erfahr ich, wie ich sie auch mag, und dann seh ich sie, wie sie mit einem anderen Mann flirtet und ich dann alles vergesse und die Rapper interessieren mich nicht mehr und ... ENDE. Dieser Film wird zwischen 70 und 90 Minuten, und wenn wir fertig werden, will ich den auf einem Filmfestival zeigen. Meine Filme sind vorher eigentlich nirgends gelaufen. Ich hab sie nur als Visitenkarte sozusagen gemacht für diesen letzten langen Film. **Ich bin kein Kurzfilmfan.**

Natürlich ist dieser Film unter komischen Umständen entstanden, aber das macht diesen Film aus. Wir hatten **kein Geld,** und nen langen Film zu machen **in 18 Tagen** ist schon kompliziert. Die Schauspieler hatten halt nicht mehr Zeit, weil die bekommen ja auch nichts bezahlt ... und deswegen haben wir auch den Film „Urban Guerilla" genannt. Wir haben den Film eben guerillamäßig gemacht.

Belhe Zaimoglu, Schauspielerin

Ich kam hier an in Berlin und dachte: „Wie soll ich hier ... na ja." **Erst einmal eine Agentur.** Ich war fertig und bedient. Ich rief an und bekam keine Termine. Schauspielerinnen wie Sand am Meer – **kannst vergessen.** Aber waren's wieder Zufälle oder hab ich mich doch zu sehr bemüht? Dann kam ein bekannter Agent auf mich zu, dann kam ich da rein. Über ihn lief ein bisschen was und ganz viel natürlich über viel eigenes Bemühen. Dass ich auf Filmpremieren präsent war. Es war wichtig, dass ich präsent war, dass man mich gesehen hat. Ein paar Engagements hab ich nur dadurch bekommen, dass man irgendwo ist, steht, dass man dich sieht. **Man muss gut drauf sein, gut aussehen, man muss gute Sachen anhaben.** Kannst du nicht irgendwie da hin, nicht!

Film: „Kanak Attack" – der ganze Film ist sehr jung, ist sehr trashig, ist sehr bewegt. **Ich spiel die Frau von diesem „psychisch" Kranken, eine stumme Rolle.** Er weint halt einfach und ich weine auch, es ist diese Trauer und es ist diese Ausweglosigkeit seinerseits. „Er hat mir zwei Kinder geschenkt", sagt er noch in dieser Szene und niemand versteht ihn. Und der Hauptdarsteller schon, weil er ihm eine Geschichte über einen Vogel erzählt. Was auch irgendwie absurd ist und dann auch wieder nicht. Also diese Aussage, dass die eigene Ehefrau und auch die ganze Familie ihn nicht versteht, auch die Ärzte nicht, aber letztendlich der Hauptdarsteller.

Vielleicht hab ich ja auch Glück, dass ich äußerlich nicht nur Türkinnen spielen kann. Ich hab eigentlich nur zwei, nein drei Türkinnen gespielt von 20 Film- und Kinorollen. Manchmal Italienerinnen, manchmal Französinnen, dann spiel ich auch Deutsche. Jetzt hab ich das nächste, „Baruhs Schatten", ein Fernsehspiel, **da spiel ich 'ne Russin.**

Lieblingsrolle? Das Ding ist, ich liebe alle meine Rollen. Ich bin immer wahnsinnig aufgeregt. Beim Casting frag ich mich dann, wirst du dem gerecht, schaffst du das, dann geht's los. Du liest die Rolle. Dann lebst du damit. Du musst dich richtig reinleben und finden. Dann geht's los mit Bildern, wie heult sie, wie lebt sie, wie liebt sie. Was macht sie, wenn sie alleine ist, guckt sie Löcher in die Luft? Ist das so eine Hypermobile oder Extrovertierte? Bis auf kleinste Details. Was 'ne Herausforderung war, war die **Geburtsszene in „Rette deine Haut"**, das kam halt als Fernsehspiel im ZDF. Da hab ich Zwillinge geboren. Aber eine Herausforderung war auch, in „Kanak Attack" diese am Boden zerstörte, diese zutiefst traurige Person zu spielen. **Oder diese Edelnutte in „Zoom"**. Eigentlich macht mir jede Rolle Spaß. Sobald ich das Kostüm abgelegt hab, unter die Dusche gehe, Maske weg, dann wird man halt wieder so die Belhe.

Kabarett/Comedy – „Produzier mich net ...“

Das zweite Stück war so eine subventionierte Geschichte. Es ging dabei auch wieder um die **Gastarbeiterproblematik** und so weiter ... Es ist in der Kabarettszene so, dass du zwar toleriert wirst, wenn du irgendwelche tagespolitischen Themen machst... aber wenn du landespolitische Themen behandelst, dann hört sich für die der Spaß auf. Du kommst nur gut an, wenn du so alltägliches Kabarett machst. Manche machen das wegen dem Geld – aber wenn du jetzt jahrelang drauf hingearbeitet hast und du verdienst immer noch kein Geld damit, dann wird's schwierig. Im Gegensatz zu Holland, Frankreich oder Deutschland passiert hier sehr wenig ... sowohl im Fernsehen als auch im kulturellen Leben überhaupt – **in Österreich passiert sehr wenig.** (Mehmet Emir)

ERKAN&STEFAN

Warum haben wir ein Buch geschrieben ... das war natürlich alles nicht so leicht, weil lesen ist nicht so ganz unser Konzept. Das meiste wird auch in Old-School geschrieben, also das meiste Deutsch, was so geschrieben wird, ist analog, wir leben halt mehr so digital, wir sind halt viel weiter, weil digital ist die Zukunft. Aber dann war da der Günter Grass am Start. Der kann seinen Namen nicht schreiben, **Krass mit G,** und dann kriegt er 'nen Nobelpreis ... find ich nicht witzig. Wir haben gesehen, dass da die **blonden Bunnys** bei ihm abhängen tun und das hat uns fett gestresst, weil wir haben einen Auftritt gehabt und dann waren da voll minus die Bunnys am Start.

Piercing hab ich nicht und das ist jetzt auch 'ne Message, die geht raus an alle Bunnys mit Gesichtspiercing, Bodypiercing ist okay, **aber nicht zu viel Blech ins Gesicht,** weil das stört den Handyempfang. Handy ist cool, je größer, desto besser. Weil Handy verbreitet Respekt. Je mehr Handys du hast, desto besser bist du im Geschäft. Handy muss groß und laut sein und coole Melodie. Und was ich voll krass find, es gibt 'n Handy von Sony, da kannst du jetzt Sound drauf aufnehmen.

Unser Buch ist **nicht nur ein Buch zum Lesen, sondern auch 'n Buch zum Actionmachen,** und da sind Teile drin, wo du was ausmalen kannst, Teile, wo du Zwiebel reinreiben kannst und solche Sachen. Und es ist wichtig, dass da auch Action ist, weil lesen ist mehr so schwul. Genau das war halt so Adidas, wir haben uns von Adidas getrennt, die haben uns nie bezahlt, wir haben auch nie Vertrag gehabt ... das darfst du nicht dazu sagen ... jedenfalls machen wir unsere eigenen Trainingsanzüge, weil wir haben das vorher ja getragen und so.

Dönertiere sind voll selten, so echte gesunde Dönertiere ... was man hier so kaufen kann, **ist oft Kunstdöner, der wird nicht in der freien Wildbahn erlegt,** wir haben selbst noch wenige gesehen, es gibt erst ein Foto, weil die sind voll scheu. Ich hab noch nie eins gesehen, aber der Eki vom Falaffel, der sieht die regelmäßig. Es gibt so krasse Dönertiere-Weidegründe, die werden geheim gehalten, weil sonst kommen die Leute mit den Hubschraubern und schießen die Tiere ab.

BÜLENT CEYLAN/Comedyartist

Also der Hassan geht so: **Ho, ich bin Hassan, also produzier mich net, ich weiß, wo dein Haus wohnt.** Ich kann paar Nüsse knacken mit Arschbacken, das is' eben so.

Wenn ich eine Frau seh, ich geh hin, stell mich vor die Frau hin, sie dreht sich um und ich sag hallo: ... fertig und ab in die Kiste. Weil ich mir gedacht hab, hängst dich so 'n bisschen an die Ethno-Comedy dran, obwohl ich ja andere Sachen auch mache ... so den Waldhof-Proll-Harald oder die Wiener Biogräfin.

Er ist zwar total der **Macho, der Hassan, aber im Grunde doch ein sympathischer Macho, weil er eben doch 'n Looser irgendwo is'.** Zum Beispiel im Schwimmbad ... also er gibt an mit einem 20-m-Sprungbrett, natürlich nicht, springt dann runter: **„Platsch, voll brutal auf Luftmatratze und steh genau auf da Brett wieder obe, aber ohne Baddehose."** Letzten Endes verrät er dann auch, dass sein kleiner Hassan, sozusagen, ziemlich klein ist, und das vergleicht er dann mit seinem Radiergummi und sagt: „Ja, viel benutzt", und da zeigt er halt, wie klein er halt wird, aber er sagt halt dann: „Aber er radiert immer noch super", des macht ihn halt irgendwie doch wieder sympathisch, dass er sich selbst verarscht, aber im Grunde ihm alles peinlich ist.

Da gibt's den Macho und da gibt's ja noch den Gemüsehändler. Und der Gemüsehändler geht eher so in die Kabarettisten-Richtung, weil er kritisiert so den deutschen Pass, deswegen, weil im deutschen Pass immer das gleiche Geburtsdatum drin steht und „deutsche Pass kannst du nix verbessern". Oder dass sein Bruder Gökhan eigentlich Chirurg ist und in der Türkei sehr gut angesehen, und er kommt nach Deutschland und kriegt keinen Job als Chirurg, was macht er, er fährt Taxi. Er arbeitet sich total hoch und hat dann am Ende ein Riesen-Taxi-Unternehmen und hat nur super Taxi-Fahrer, nämlich deutsche Akademiker. Die Sache, wo's dann ein bisschen hintersinniger wird.

Ich mach ja auch was ganz anderes: diese **Biogräfin mit Wiener Akzent.** Sie erzählt 'ne Geschichte, wo sie lebt, aber alles so mit biologischen Wörtern. „Grüß Gott, ich bin Soja von Weizenkeim und Brennnessel. Eine letzte Sprossenzelle von Tofu. Ich leb in Dinkel in den Algen. Ich lebe sehr, sehr leinsam, aber nicht griesgrämig, manchmal Kompost, manchmal keine."

Mit **Django Asül** kann man mich wirklich nicht vergleichen. Er ist wirklich der Kabarettist unter den Türken. Das sind schon **Klischees, mit denen ich spiele,** aber ich mach das auf sympathische Art und Weise und zieh nicht Türken runter ... so dass der als Bösewicht dasteht. Zwar sagen die manchmal harte Dinge, oder wie auch immer. So Hassan zum Beispiel: „Macht immer korrekten Unterschied zwischen Deutschen und Türken ... **das eine sind meine Freunde, das andre meine Landsleute."**

Mode: „Alle tragen Superstars und Baggy Pants“

Alle tragen „Superstars“ – Adidas-Schuhe und mit den „Baggy Pants“, das war früher eher so zugeschnitten auf Hiphopper. Mittlerweile **tragen das auch irgendwelche Technofreaks oder Rocker** oder sonst was. (Serpil Turhan)

Wenn da einer vom Osten kommt, so Fishbone-Sachen und so, Buffallo, Muffalo ... die wollen wir überhaupt nicht.

Wir machen **Trachten** und verkaufen die hier in Europa. Produziert wird in der Türkei. **Die Sachen gehen am besten in Bayern.** Und die Sachen, die wir haben, sind nicht so normale Trachten, also nicht so traditionell, sondern mit mehr Pfiff. Mit Leder gemixt, das Material, das hier verwendet wird, ist alles pures Leinen, schweres Leinen und keine Kaufhaus-Sachen, mehr so ein bisschen extravagant. Das ist ein Ledermieder mit Edelweißschmuck drauf, mit Hirschleder und vielen abgesetzten Applikationen, mit andersfarbigem Leder, mit Spitzen und Rüschen und Schnallen. Da gibt's 54 Edelweißknöpfe an einer Weste, das macht halt die Sache rustikal. Es ist lustig, sag ich mal, wenn jemand den Markt entdeckt und da führend ist, der irgendwie nicht traditionell bei der Sache aufgewachsen ist. **SKANDAL-Trachten ist sehr bekannt und sehr beliebt.** (Iskender)

In München ist es so, wenn ich im Laden stehe, besonders zu Oktoberfestzeiten, **da kommen auch Landsleute von uns, die sich in Tracht bekleiden.** Find ich cool. Es ist oft so zum Beispiel in Bayern, man geht auf die Party und viele sind auch in Trachten und wenn man ohne das ankommt, dann ja ... ist nicht okay. Es sind halt auch viele 2. und 3. Generation. Die sind mit aufgewachsen. Ich ziehe diese Sachen eher nicht an. Schon Lederhosen, aber halt andere. (Iskender)

Unser populärster Trachtenträger ist DJ Ötzi. Viele Leute sagen, ja das ist eine Ötzi-Jacke. In Österreich beliefern wir einige Geschäfte ... in Wien, in Villach, einige ... Es kommen auch aus Österreich sehr viele Wiederverkäufer.

Ich hab eben eine Zeit lang mit **Textil-Import-Export** gearbeitet, da hab ich eine Zeit lang auch die Möglichkeit gehabt, mit **Imitationswaren** so zu arbeiten ... wie sie auf den Markt kommen, wie das verkauft wird und von welchen Kreisen das gekauft wird. Alle Marken: von **Chiemsee, von Adidas, von Replay, Levis, Boss ... alles** ... das hab ich gesehen, wie sie in der Türkei oder in China das produzieren und in Ostblockländern illegal verkaufen in großen Mengen. Da sind ja Umsätze von Millionen Dollar. Ab und zu werden auch von Markenbesitzern so Gegenaktionen gemacht, mit polizeilichem Eingreifen, dass man dann das von denen beschlagnahmt, die das verkaufen. Ich hab gesehen, wie sie das im tschechischen Markt verkaufen. Dort in den tschechisch-österreichischen Grenzgebieten, so 100 m nach der Grenze, dann sieht man verschiedene Textilstände, und da sind nur Marken, Adidas, Replay ... alles, was im Markt zur Zeit aktuell ist. Da kaufen auch viele ein und viele Immigranten kaufen dort auch ein. Die Imitationen werden in Österreich, so viel ich weiß, nicht verkauft. Es ist nicht erlaubt hier, es ist auch strafbar, glaub ich. So 200.000 Mark, solche Strafen laufen hier. Auch in Prag eigentlich, aber dort wird es toleriert. (Murat Buga)

ATIL KUTOGLU – Modedesigner

Das BWL-Studium in Wien hab ich gleich mit Mode kombiniert. Ich hab gleich mit einer großen Modeschau dort angefangen: **„Mode Exposition Istanbul".** Damals hab ich noch keine Werkstatt gehabt, ich hab einfach einmalig eine Kollektion in der Türkei produzieren lassen. Ganz wichtig: **Ich hab Helmut Zilk in der Straßenbahn angesprochen** und bekam dann auch für die Modeschau an der WU ein Stipendium. Damals war ich ein No-Name und ein Nobody. Ich hab Dagmar Koller noch nicht gekannt und dann später hat sie schon ein paar Sachen bei mir bestellt, da war ich noch Student. **Dann kamen bald Auslandsmessen,** Paris, Mailand und New York und Düsseldorf. Dann kamen noch eine Reihe von Superkunden hinzu, wie die Sonja Kirchberger, die belgische Popsängerin Viktor Lazlo, Emi Lee Lloyd, die britische Schauspielerin, oder Nabila Kashogghi. Im Jahre 99 hab ich auf die Einladung der Gattin des **türkischen Premiers,** Jesut Jilmaz, eine große Modegala gemacht, zur Feier des 700-jährigen Bestehens des Osmanischen Reichs.

Meine Linie hat immer diese **orientalischen Einflüsse** gehabt. Jetzt die letzte Kollektion ist vielleicht ein bisschen anders ... Eigenschaften, die öfter bei mir vorkommen, sind diese Wickelhosen oder Haremshosen, die versuch ich halt und hab sie zum Teil auch schon salonfähig gemacht in Wien und in New York oder so, Kaftan-Mäntel/Jacken, die so 3/4lang sind und mit geschlitzten Ärmeln, die man über ein Kleid oder über eine Bluse oder Hose anziehen kann. Mit orientalischem Muster, da sind oft **Tulpen oder nelkenähnliche Muster, die Farbe Rot in verschiedenen Variationen oder Violetttöne.**

Meine **Produktionsstätten sind in der Türkei.** Das ist natürlich viel billiger, und in Österreich ist die ganze Branche ausgestorben, das war mein Vorteil, warum das bei mir weitergegangen ist. Die Leute haben mir teilweise Stoffe umsonst gegeben, **weil sie stolz waren, dass ich als Türke in Europa gute Sachen gezeigt hab** auf dem Laufsteg. Das war vielleicht das Geheimrezept. Ich war auch in Amerika so ein Austauschschüler ... ich hab oft so einen Komplex gehabt durch das Türke-

Sein, was mir heute die Leute sehr schwer abnehmen werden. Ich hab mich nämlich immer wie ein Österreicher oder Amerikaner benommen, benehmen können, das kommt auch durch meine Erziehung ... aber wie ich vor 15 Jahren so immer ins Ausland gefahren bin und von den Leuten gehört hab ... **ach du bist Türke und Türkei, das ist ja was ganz Schlimmes ...** reagiert haben, da war schon was da, um den Leuten halt das Gegenteil zu zeigen, dass die Türkei halt sehr viel Gutes anzubieten hat. Mit meiner Modekunst.

Ich war **in der Türkei vor eineinhalb Jahren** mit Hubertus von Hohenlohe und mit der Ira von Fürstenberg und ich war mit denen shoppen, ich hab sie ausgeführt am Bazar und so und plötzlich entdecken sie da, kaufen sie die türkische Fahne und ich soll handeln für sie. Und dann noch Billig-T-Shirts mit so einem Aufdruck mit der türkischen Flagge. Sie haben gesagt, die **Flagge finden sie unheimlich ästhetisch** und ich hab dann gesehen, dass die österreichische Flagge nicht sehr weit ist

von der türkischen, zumindest sind das die gleichen Farben. **Da kam ich auf die Idee, die ganze Kollektion in Rot-Weiß-Rot zu halten und eben die Kollektion auf diese zwei Flaggen aufzubauen.**

In der Türkei hab ich schon ein paar **negative Statements** bekommen. Vor einem Monat in der Türkei haben sie ein paar Jugendliche, die die Flagge getragen haben ... nicht verhaftet, aber sekkiert und den Händlern haben sie verboten ... es hat dann eine Diskussion ausgelöst in der Türkei, weil es gibt angeblich ein Gesetz, dass die Flagge nicht als Gegenstand oder als etwas Ähnliches verwendet werden darf. Sie ist zum Schutz gedacht. Und ich hab dann der größten türkischen Tageszeitung ein Interview gegeben, ich hab da gemeint ... für das Image der Türkei im Ausland ist das kein Problem, es ist natürlich schlecht, wenn man Sachen machen würde, wo man die Flagge beleidigt oder sich lustig macht darüber, aber solange es für einen guten Zweck ist und eine Ehre mit sich trägt, dann sollte es kein Problem sein. Ich mein, **die amerikanische und britische Flagge wird auch überall verwendet,** der „Union Jack" wird auch überall auf Pullovern und so abgedruckt.

In Wien leb ich sehr ruhig. Da pendle ich zwischen meiner Wohnung im 19. Bezirk und meinem Atelier im 8. Bezirk. Die Kollektion, also die Grundidee, entsteht immer in Wien. Dann wird ein Teil, wenn die Stoffe eintreffen, in Wien verwirklicht, aber die Serien in der Türkei und dann flieg ich nach Istanbul. Dort geht's ein bisschen chaotischer zu, zwischen Familie und Business. Dann muss ich wo hin, wo Leder produziert wird, in einer anderen Werkstätte wird Jersey ... quer durch die Stadt und dann die Freunde ... Jetzt, seit so einem Jahr, ist halt **New York** dazugekommen, aber da ist halt mehr Geschäft, **ich hab dort noch nicht so viel Sozialleben.** Hauptsächlich sind es halt die Modenschau und die Verkaufstermine. Wien ist halt so ein Ruhepol und die kreative Zeit, ich kann aber auch ausgehen, ich fühl mich hier schon sehr zu Hause.

Man kann die Sachen direkt bei uns in Wien, in der **Lange Gasse 38** kaufen, aber ich verteile die Sachen nicht. Wir sind in ein paar Läden in der Türkei und in New York vertreten ... www.atilkutoglu.com.

Theater! >Prinzessin und Froschkönig<

Ich war **BARMANN**. Da hab ich jemanden kennen gelernt. So ein Typ, der nie Geld hatte ... seine Achtel hat er immer mit Groschen bezahlt und hat mir kein Trinkgeld gegeben. Der hat immer sehr gute Schmähs gemacht. Eines Tages hab ich ihn gefragt, ob wir nicht zusammen ein **THEATERSTÜCK** machen könnten? Wie ich erfahren hab, war er Kabarettist. Dann hab ich ihn meine Geschichten erzählt ... und so ist **DANN DAS ERSTE STÜCK** entstanden – „Andere Baustelle" hat das geheißen. Der zweite Teil spielt sich in einem alten Lokal ab, wo die ganzen Ausländerprobleme auf die Schaufel genommen wurden ... sehr übertrieben. Unsere Theaterpartie hieß damals «**FREMDKÖRPER**». (Mehmet Emir)

Ich spiele schon seit Jahren Theater hier im «**TIYATROM**», dem türkischen Theater in Berlin. Ich bin durch 'ne Freundin hergekommen, dann war ich einmal bei den Proben dabei und seitdem bin ich laufend hier. Ich studiere Mathematik. Schauspielern ist so der Ausgleich für mich. Bin sehr selbstbewusst geworden dadurch. (Arzu Isik)

Ich kenn Leute, die **JAHRELANG THEATER MACHEN**, ich hab jahrelang türkische Folklore gemacht. Es gibt viele Leute, die rappen draußen und spielen dann im türkischen Theater oder so. Meistens wenn ein Stück kommt aus der Türkei, ist es voll ausgebucht. Ich kann leider nicht sagen, dass die deutschen Stücke von unseren Leuten so viel besucht werden. Wenn „Django Asül", der Kabarettist, kommt, geht man schon hin. Die machen das zwar auf Deutsch, aber die

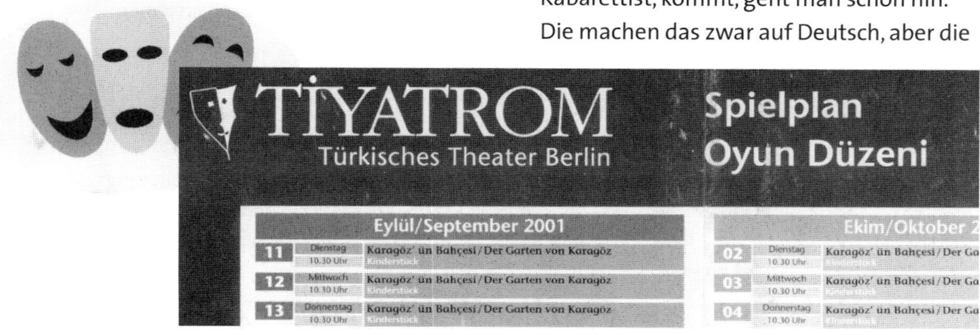

Sprache, die sie benutzen, auch wenn das Hochdeutsch ist, ist uns schon näher, als wenn der Harald Schmidt 'ne Show macht oder so was. (Ali Yigit)

In Berlin gibt's so 'n Dialog »**THEATERFESTIVAL**«, findet jedes Jahr statt. Da finden viele Veranstaltungen statt, Konzerte, Musicals ... und da war ein Stück vom Feridun Zaimoglu, ich hab ja seine Bücher auch gelesen, ich sollte dabei auch mitspielen, aber ich hatte keine Zeit. (Ali Yigit)

VIER JAHRE SCHAUSPIEL, staatliche Bühnenreife in Hamburg, und vor der Abschlussprüfung wurde ich noch wegengagiert fürs Weihnachtsmärchen „Prinzessin und Froschkönig". Das war 1990–1994. Da wurde man also von wildfremden Menschen in sechs Fächern geprüft. Vier moderne Rollen, vier klassische Rollen, Musik und Chanson, auch in Fechten, Technik sowieso, Bühnenshow, Pantomime, Theatergeschichte. 12 bis 13 Fächer hatte man da schon. (Belhe Zaimoglu)

In Dortmund hab ich dann unterschrieben. Dann gingen die Hauptrollen. Das ging los mit dem 80-jährigen Robert Ohlbrück, der mit der Produktion „Zimmer frei" von Markus Köbeli sein 60-jähriges Bühnenjubiläum feierte. **DA SPIELTE ICH EINE GRUFTI-FRAU**, und er zog bei mir ein. Das war das erste Ding. Sehr lustig. Ich schlief im Sarg, er hatte finanzielle Probleme und wollte da auch nicht in ein Altersheim. Und dann hat er halt einfach in die Zeitung gekuckt und da stand halt „Zimmer frei". Und hat gedacht, dass er da günstig unterkommt und hat auch gedacht und gehofft, eine Brücke zur jüngeren Generation zu bekommen. Das Stück lebte auch von den Generationskonflikten.
(Belhe Zaimoglu)

Traditionelle Musik: "Das ist alles gespielt"

Ich hab mein Hobby zum Beruf gemacht. Am Anfang war das ganz interessant ... aber irgendwann hast du keine Freude mehr, weil es tut sich immer das Gleiche. Du kommst auf die Bühne ... du lernst jeden Tag Leute kennen ... es werden immer mehr ... super ... **Aber irgendwann wird das Routine.** Gleich wie in einer Beziehung. Am Anfang ist alles super ... aber irgendwann merkst du, dass du nicht mehr willst. Aber aufhören kannst du dann auch nicht mehr. Das klingt vielleicht ein bisschen pessimistisch ... aber du bist auf der Bühne – musst smilen ... eine Show liefern, dass die glauben: der kriegt gleich einen Orgasmus auf der Bühne. Das ist aber alles, gespielt, großteils ... (Metin Meto)

Letztes Jahr war ich kaum in Österreich ... Ich bin seit August zwei Monate lang durch Amerika getourt ... mit einer Show. Das war wie **River-Dance auf Georgisch** ... Wir waren so ungefähr achtzig Leute. Das war so eine multikulturelle Truppe ... Dann war ich ein halbes Jahr in Istanbul. Dort hab ich eine CD zusammengestellt ... meine erste. Die kommt aber erst im Frühjahr heraus. Inzwischen Marokko ... Jordanien ... immer von Wien aus. Flugzeug will ich aber momentan keines mehr sehen ... ich hab die Weltkugel zwei Mal umrundet ... das ist zu viel, ich pack das nicht mehr. Ich muss ein bisschen runterkommen. **Nur Hotelzimmer, Flughäfen, Maschinen ... Bühne ...** (Metin Meto)

Vor fünf Jahren habe ich angefangen zu sagen: Ich bin keine instrumentelle Prostituierte ... Ich verlasse das Puff und eröffne mein eigenes!

Kanak-Sprak: Raus aus den Nischen

Sehr schnell einigte man sich drauf, sich auf einer Plattform zu verständigen, **auf der die Ethnie, die Herkunft keine Rolle spielt,** man nannte es „Kanak Attack", und bei den ersten Treffen in Frankfurt kamen Hunderte von politisch inspirierten und kulturarbeitenden Menschen zusammen, die sich das Ziel setzten, jenseits der alten Migrantenpolitik und deren ausgetretener Pfade, ein neues, **kämpferisches Selbstverständnis zu inszenieren,** um an die Öffentlichkeit heranzutreten. Das war das Stichwort: Raus aus den Nischen. Mir ging es darum, die neuen Bilder der Einwanderungsgesellschaft mit all den **Ungereimtheiten, Hässlichkeiten, mit all dem Schmutz und Dreck auch darzustellen,** in einem zwischensprachlichen Feld und in einer erfrischenden, neuen Kulturtechnik. Und ich stieß eigentlich bei fast allen auf große Sympathie. (Feridun Zaimoglu)

Ich merk immer mehr, das wird auch in den Medien thematisiert mittlerweile, dass die Türken sich – alle in der dritten Generation – mehr distanzieren von der deutschen Gesellschaft. **Mehr so abspalten, mehr so zu den Wurzeln finden wollen** und man merkt es auch schon, wie sie Deutsch sprechen. Sie können halt kein Deutsch reden und sind in der Schule schlecht, gehen früh ab von der Schule.

Genau diese berühmte Kanak-Sprak da, die gibt's auch. Das ist halt irgendwie unverständlich, meiner Meinung nach. Ich dachte immer, die dritte und vierte Generation wird noch viel besser, die wird die zweite noch toppen. Ist halt teilweise schon so. Es gibt natürlich Leute, die sind einflussreich, an der Uni, wie er hier, mein Freund Ozan Sinan, der ist super erfolgreich, der ist Türke, aber der sitzt halt auf beiden Stühlen. Und die meisten Türken hier sitzen halt zwischen den beiden Stühlen und wissen halt nicht, wohin sie sollen. Aber der Mittelweg, glaub ich, der beste Weg ist immer, auf beiden Stühlen zu sitzen. Da kommen sie am weitesten. Der goldene Königsweg quasi. (Deniz Kumru)

Mit meinen Freunden red ich immer nur türkisch. Aber manchmal auch ein **bisschen deutsch**. Da kommt dann immer so ein **Mischmasch** raus ... das ist halt so. Ich frag ihn was auf Österreichisch und der antwortet mir dann auf Türkisch ... aber wir verstehen eh alles. Zu Hause – mit meiner Mutter – red ich immer türkisch. Mit meinen Brüdern red ich aber deutsch, weil auf Deutsch verstehen die mich viel besser. Meiner Mutter kann ich nicht Deutsch lernen, weil die versteht mich nicht so gut. (Resul + Hakan)

Wir reden halt viel Mischmasch:
„Geh weg Lan" heißt bei uns zum Beispiel „geh weg heast"
„Komm mit Moruk" heißt bei uns „komm mit, Oida/Alter"

Oder wir reden so halb türkische Sätze und halb deutsche:
„Du bist sehr schön, seni seviyorum (ich liebe dich)"
„Wohin gehen wir heute? Sleepers. Bende geliyorum."

Und die Berliner, also auch die deutschen Kids, die haben einen Slang, den die grade sprechen, da ist **jedes achte Wort türkisch,** so extrem. Ich versteh das selber nicht, wo das herkommt. Es hört sich auch nicht wirklich gut an. Also wenn ich mir die Leute so anhöre, dann bekommt man immer ein türkisches Wort so reingeschmissen, ich versteh das, hab gar kein Problem dran. Aber wenn ich mir vorstelle, dass der morgen in der Schule so sitzt und mit dem Lehrer so spricht. Die sprechen ab und zu einfach, bum, ein türkisches Wort rein. Z. B. **Hadi ... das heißt los, kann man sagen, so hadi ... los, los, los** ... sozusagen, ganz komische Dinger sind da entstanden. Man kann's nicht verallgemeinern. Es ist halt so: „Du bist anders als andere", sich so abgrenzen und so. (Halil Efe)

Die Kanak-Attack-Bewegung, das hat nix mit religiösen oder solchen Bewegungen gemein, sondern die identifiziert sich folgendermaßen: ich werde als Kanake gesehen, also bin ich ein Kanake. Das heißt nicht, dass ich türkisch, nationalistisch bin. Das ist ähnlich wie die Bewegung in den Vereinigten Staaten, wo sich die Schwarzen selber Negro nennen. Also **stolz sind auf das, was sie sind.** Sich auf zwei Stühlen sitzend sehen, nicht zwischen zwei Stühlen. (Özcan Mutlu, grüner Landtagspolitiker)

„KOMM MIT MORUK“

Ja das ist ’ne Sprache, die Feridun Zaimoglu benutzt, der wir gefühlsmäßig sehr nahe sind ... es gibt ja auch so ’n Wörterbuch der „Kanak-Sprak“, man kann schon daraus sehen, dass eigentlich ’ne verbale und nonverbale Sprache hier entstanden ist in Deutschland, die meistens von den Menschen gesprochen wird, die aus der Türkei stammen. **Das ist weder richtig deutsch noch richtig türkisch.** Vielleicht wird die in 20, 30 Jahren fast jeder benutzen. Diese Sprache, die wir zum Beispiel für die Nachrichten benutzen, die kommt bei uns besser an, als wenn ein Künstler kommt und in ’ner hochtürkischen Sprache redet, da hat man schon seine Skepsis. Man versteht, glaub ich, einige Wörter dann nicht mehr, **daher ist Feridun Zaimoglu ’n Begriff für uns.** Alles, was da darin steht, sind Gefühlssachen, die fast jeder hier von uns in Deutschland erlebt hat. Ich denk mir mal, dass Türken hier ’nen Mercedes oder ’nen BMW fahren, warum sollen Deutschen nicht diese Kanak-Sprak nachreden ... **bei den Jugendlichen gibt es ja so ’n Kult.** (Ali Yigit, Morgenmoderator bei Metropol FM)

Kanak Attack. Diese Gruppe hat aber in Frankfurt angefangen. Und die haben mich gefragt, ob ich nicht eine dieser Veranstaltungen moderieren möchte, und ich hab zugesagt. Und dann haben wir diese verrückte Aktion gemacht, ich **hatte während der Moderation einen BH an,** und drum herum nur Frischhaltefolie und Chilli und Peppers. Schoten hab ich mir da reingeschoben. Es war der Hammer. Ich hab das gemacht, obwohl ich Türkin bin, obwohl, ich sehe nun nicht so richtig türkisch aus. Wir sind mit dem Auto durch die Oranienburger Straße gefahren, vorher, und auch gelaufen und wollten dort eigentlich nur aufmerksam machen auf diese Filmreihe, die dort stattfinden sollte an dem Abend. Und da wurde ich vor allem **von den türkischen Männern so herbe angemacht,** die haben das, glaub ich, auch nicht richtig gecheckt, die fühlten sich angemacht, dass sich eine Frau überhaupt traut, so rumzulaufen. Nur auf den Abend wollten wir aufmerksam machen. Und dann hatten wir richtig Stress mit den Jungs. (Belhe Zaimoglu, Schauspielerin)

FERIDUN ZAIMOGLU – Kanakattackierer

Mir ging es vor allem darum, die Sprache, diese Zungenschläge also irgendwie zu fassen – es geht ja auch darum, dass diese **Sprache Ausdruck einer sozialen Wirklichkeit** ist, in die ich ja selbst verstrickt war. Die Idee kam mir eigentlich in einer Sitzung im Studio

«DU BIST SEHR SCHÖN, SENI SEVIYORUM

eines guten Freundes von mir, Ali, der Frontmann einer Hiphop-Gruppe; wir hatten fast den ganzen Tag am Mischpult gesessen, ich hatte auch so ein paar Ideen zu den Texten von mir gegeben, es war sehr spät, und da legte Ali plötzlich einfach drauf los ... Er saß in einem ziemlich zerschlissenen Büro-Chefsessel, und er erging sich also plötzlich in diesem typischen Stilettstakkato – so bezeichne ich das. **Diesen Front-Slang der Einwandererkinder.** Er ließ sich darüber aus, wie es sich anfühlt, wenn man um zwei oder drei Uhr morgens in Kiel in einem Rattenloch sitzt und davon träumt, vielleicht mal einen Vertrag mit einem Majorlabel zu bekommen. Es war eben in diesem ungeschönten, ungestümen Jargon ohne Punkt und Komma. Vorgetragen in **Hassliebe** zu einem Land, also zu Deutschland.

In Deutschland tut man sich mit dem Humor ein bisschen schwer. Wenn Humor, sagen wir, einsilbig und eindimensional daherkommt und (b)anal regressiv ist, dann lachen die Massen. Mit diesem Humorverständnis kann ich mich nicht anfreunden. Und wen Kanaksprache, als so eine Art Kaputtsprach von Infantilen verstanden und serviert wird, dann hab ich Schwierigkeiten zu lachen. Ich aber muss schon sagen, dass Kanaksprache auf eine Art und Weise infiziert wurde, dass ich es einfach nicht mehr lustig finden konnte. Man versteht Kanaksprache heute manchmal schon als so eine Art preußische Witzigkeit. Und diese Art der Witzigkeit, die geht mir ab. Ich meine, ein gewisser Michael Freitag hat so ein nettes süßes Büchlein herausgebracht, und das artet da **so in eine Art Kaputtsprache aus, von Leuten, die die deutsche Grammatik zum Teufel jagen.** Da vermisse ich den Rhythmus, da vermisse ich den Sprachhumor, ich vermisse den Unterschichtensarkasmus. Ich habe das Gefühl, dass diese ganze Kanak-Comedy-Welle eigentlich nix anderes tut, als sich gewisser Stereotype zu bedienen und sie zu verbreiten, und nicht wirklich witzig ist. Ich vermisse auch den wirklich bösen Humor.

TSCHUSCHENPOWER

Tschuschenpower ist da in Wien so ein Beispiel, wo Migrantinnen auftreten und sagen, wir können für uns selber sprechen, wir können uns artikulieren, **wir brauchen keine Anwaltschaft und keine Bevormundung** und sagen, wir sind gar nicht so arm. Wir sind, was wir sind. Tschuschenpower hat keine Bossstruktur, es gibt Sprecherpositionen ... es gibt das **Ottakringer Manifest,** wo ganz klar die Richtung festgelegt ist. Wir sind offen, Leute können hier zusammenkommen. Wir sind auch nicht aktionistisch, wir setzen eher so kleine Sachen. Wir haben bei den Donnerstagsdemos so Transparente gehabt, eins mit dem Slogan drauf ... „Schluss mit Kuscheln, wir wollen Sex"/Tschuschenpower ... oder eine große Podiumsdiskussion zum Thema **„Leitkultur".** Wir haben mit Migrantinnen diskutiert über österreichisch-abendländische Kultur unter Ausschluss des Publikums. Viele haben sich dann aufgeregt, gerade die österreichischen Freunde und Freundinnen. **Wer entscheidet, was ein Tschusch ist oder wie ein Tschusch ist?** Und wer entscheidet eigentlich, dass Tschusch ein negativer Begriff ist, indem wir mit dem Begriff spielen, ähnlich wie die **Tschuschenkapelle** ... Wir wollen einfach mitmischen, uns einmischen, sichtbar werden und sagen: „Hoppla, ich bin aber auch noch da." Wir vergleichen das immer mit der Situation, es wird eine Frauenkonferenz einberufen, wo keine Frauen zu Wort kommen. Aber in Österreich könnte man sich mit einem Frauenminister auch sicher so etwas vorstellen ... haha ... aber so ähnlich ist es. Es wird über Migranten diskutiert, gestritten und alles Mögliche, aber kein Migrant diskutiert mit. **Das Pendant zu Tschusch in Deutschland ist so Kanake.**
(Hikmet Kayahan)

Was ich in Wien vielleicht bemängeln muss, ist, dass es eine Trauer gibt, die ich fühle, deren Gründe ich mit der Zeit zwar besser verstanden habe, aber mir für die Zukunft nicht wünsche.
(Birol Kilic)

Was ich mir in diesem Land wünschen würde, dass endlich diese **Inselmentalität, die in österreichischen Köpfen ist, aufbricht.** Österreich ist nicht die Insel der Seligen, es ist Teil einer globalen Weltkultur, und Österreich ist Teil einer europäischen Kultur – das mein ich jetzt nicht wertend, sondern einfach geografisch. (Hikmet Kayahan)

Und als Zweites würde ich mir wünschen, dass **man mit diesen Lippenbekenntnissen aufhört.** Man redet ja so gerne von der Wiener Melange, dem Telefonbuch und der böhmischen Großmutter. Es ist schick darauf zu verweisen, dass man multiethnisch war, aber zum Teil ist die politische Gesinnung von Menschen ...
(Hikmet Kayahan)

Dass man einfach aufhört von **einer homogenen Gruppierung** zu reden. Diese Buntheit und ethnische Vielfalt sollte man endlich als das sehen, was es ist – eine Bereicherung. Die Türken haben Wien zwar belagert – zwei Mal –, das war sicher nicht lustig und nicht nett, aber mein Gott, ja das ist schon lange her und wir haben ja einiges dagelassen. Angefangen von dem Kaffee, den wir jetzt trinken, und vom Kipfel, das da jetzt als österreichisches Kulturgut gepriesen wird.
(Hikmet Kayahan)

Fisolen, allein das Wort Fisolen kommt aus dem Türkischen. Zucker ist ein arabisches Wort, Koffer ist ein arabisches Wort ... Gelee kommt vom türkischen Jelek. Nicht alles ist negativ. Jetzt gibt es auch wieder viel Türken in Österreich, aber was tun wir Böses? Wir geben unsere Arbeitskraft, wir leisten unseren Beitrag zum Bruttosozialprodukt, wir leisten unseren Beitrag zum Konsum, damit die Wirtschaft gestärkt wird, und alle türkischen Lokale sind voll mit ÖsterreicherInnen, das heißt, es ist ja auch vieles da ...
(Hikmet Kayahan)

§§ Paragrafendschungel: Lauter erfundene Gschichten

Eine alte Frau hat gesagt, dass die ganzen Tschuschen in den Gemeindebauten leben und alle Familienbeihilfe bekommen und so ... So viele Ausländer haben gar nicht den Zugang zu den Gemeindebauten ... lauter erfundene Gschichten eigentlich ... Nicht die, die erst ein paar Jahre da sind, sondern die, die mindestens seit acht Jahren in Österreich sind und die Notstandshilfebezug haben, dürfen ... über das Sozialamt – die sollten den Zugang haben. Die zahlen ja genauso Steuern, damit diese Bauten gebaut werden ... und dann sollen sie keinen Zugang haben? (Gül Özdemir)

Einen türkischen Pass zu haben bedeutet für viele türkische Migranten Probleme. Aber für andere Schichten ist es eigentlich wurscht, ob sie einen türkischen Pass haben oder einen österreichischen Pass. Ich hab nie Probleme gehabt, mit meinem türkischen Pass durchzukommen. Das Wählen ist jetzt einer der Gründe, ich definier mich als sehr politischen Menschen, deshalb beantrage ich die Staatsbürgerschaft. Es zipft mich schon an, dass ich noch nie gewählt habe. Aber jetzt darf ich dann ja. Zahlen muss man dafür zwischen 10.000 und 20.000 Schilling.
(Hikmet Kayahan)

Damals habe ich die deutsche und die türkische Staatsbürgerschaft bekommen. Damals war es so üblich, dass man Doppelstaatsbürgerschaft haben durfte. Mittlerweile gibt's nur mehr die deutsche oder die türkische. Eines von beiden. Aber ich hab immer noch beide. Entweder sie haben's vergessen oder ich durfte das. Also vergessen, das dürfte nicht ... bei den deutschen Bürokraten. Ich weiß nicht, ob die einfach jemanden vergessen. Aber ich werde sie wahrscheinlich trotzdem abgeben, die türkische. Weil ich gar keinen Bock habe auf den Wehrdienst in der Türkei. (Deniz Kumru)

Ich hab einen Fehler gemacht, ich hab dreieinhalb Jahre Knast gekriegt und ich bin hier geboren; okay, früher, wo ich 15 oder 16 war, hatte ich viele Anzeigen wegen Körperverletzung – aber trotzdem – ich bin hier geboren, ich bin hier groß geworden, meine ganze Familie ist hier in Deutschland, keiner ist in der Türkei. In dreieinhalb Jahren bin ich aus dem Knast raus; ich hab eine Abschiebung gekriegt ... jetzt, wenn meine Strafe zu Ende ist im März 2002. Weil ich gute Führung habe, weil ich immer gearbeitet habe ... Ich verstehe das deutsche Gesetz nicht. Man macht einen Fehler, man bereut das, man geht ins Gefängnis rein, man büßt dafür und wird danach abgeschoben – das ist nicht normal eigentlich hier in Deutschland. Man muss doch einmal verzeihen. (Tevrat)

Ich bin auch Betriebsrat ... Rechtlich ist das gedeckt. Auch ein türkischer Staatsangehöriger kann hier als Betriebsrat kandidieren. Wenn der Arbeitgeber das aber nicht will, kann er dich streichen lassen ... bei uns im Betrieb ist das aber nicht passiert ... grundsätzlich kann man sagen, dass Ausländer nur aktiv wahlberechtigt sind und nicht passiv ... das heißt, sie dürfen wählen, aber nicht gewählt werden. Von den grossen Wahlen – Nationalratswahlen, Bundespräsidentenwahlen –, von denen red ich gar nicht. Da dürfen sie weder wählen noch gewählt werden. Ich kann mir vorstellen, dass Österreich in diesen Belangen EU-weit sicher ein Schlusslicht ist ... Ein Betriebsrat hat ja die Aufgabe, im Rahmen seiner Agenden die Interessen zu schützen und zu erweitern und als Sprachrohr der Belegschaft aufzutreten ... Meiner Meinung nach ist das eine reine Diskriminierung. (Ercan Yalcinkaya)

PARTEIPOLITISCH: DER INTEGRATIONSSCHMÄH

Ich glaub auch an diesen Integrationsschmäh nicht mehr ... Vor ein paar Jahren hat die SPÖ ganz Wien zuplakatiert, um 25 Millionen Schilling eine Kampagne, die nichts gebracht hat. Wegen der Sprache und so ... Ich hab dann für jemanden dort angerufen – wegen eines Sprachkurses. Die haben mir dann irgendwelche urschlechten Sprachkurse angeboten ... (Gül Özdemir)

Die **FPÖ** hat vorgeschlagen, dass die Emigranten, die hier leben, eine Deutschprüfung machen müssen, um rauszubekommen, ob die wirklich integriert sind oder nicht ... Wo ist der Maßstab für den Westenthaler oder für die FPÖ? Wann bin ich wirklich integriert?

Aber es war **die SPÖ auch nicht besser** – die hat die Ausländergesetze auch novelliert – als sie an der Regierung war. Durch die Gesetzesänderung im Jahr 1992 sind hier etliche Leute, die schon seit mindestens zwanzig Jahren in Österreich gelebt haben – und deren Kinder in Österreich geboren und aufgewachsen sind –, einfach illegalisiert worden ... wegen Fristversäumnissen. (Gül Özdemir)

Man betritt Neuland. Man leistet so eine gewisse Pionierarbeit; so wie Cem Özdemir auf Bundesebene, bin ich hier auf der Landesebene halt jemand, der auf gleicher Augenhöhe auch Politik machen will innerhalb der Grünen Partei. Wenn man in so ein Parlament kommt als jemand, der hier aufgewachsen ist und am eigenen Leibe vieles erfahren hat, der deutschen Sprache mächtig ist und die Probleme gut kennt, dann ist man auch Konkurrenz für seine eigenen deutschen Kollegen und Parteifreunde. Und dementsprechend wird man auch angesehen und entsprechend wird man auch behandelt, und das finde ich auch wieder gut, **auf gleicher Augenhöhe den Menschen zu begegnen. Samthandschuhe sollte man ablegen.** Man sollte die Menschen so akzeptieren, wie sie sind und entsprechend auch gleiche Maßstäbe an sie anlegen (Özcan Mutlu/Grüner Abgeordneter im Berliner Landtag)

Aber es ist halt auch nicht einfach zum Beispiel durchzusetzen, dass **Özcan Mutlu bildungspolitischer Sprecher wird.** Man wollte ihn lieber als ausländerpolitischen Sprecher sehen, so in diese Stellvertreterecke stellen. Nicht mit bösem Willen, das will ich gar nicht sagen. Man ist halt einfach davon ausgegangen, ja er hat 'ne ausländische Herkunft, er wird diese Schiene am besten machen. Ich bin ein guter Migrationspolitiker, ohne Frage, aber wir müssen diese Ketten mal brechen und zeigen, dass wir auch zu etwas anderem fähig sind. (Özcan Mutlu/Grüner Abgeordneter im Berliner Landtag)

Der CIA, das FBI, die NSA und alle diese Institutionen, die jedes Jahr 30 Milliarden Dollar schlucken, und trotzdem konnten sie dieses Attentat nicht verhindern. Und der Schilly glaubt, dass er, wenn er dort Freiheiten und Bürgerrechte entzieht, so was verhindert, das wird er nicht schaffen. Ich hab das Gefühl, er **missbraucht den 11. September für Ziele,** die er sonst so nicht hätte durchsetzen können. Wir dürfen nicht zulassen, dass Bürgerrechte für Sicherheitsgedanken geopfert werden, weil wenn wir Bürgerrechte aufgeben, das hat schon damals Benjamin Franklin gesagt, wenn wir die Bürgerrechte aufgeben für Sicherheit, werden wir bald beides nicht haben. (Özcan Mutlu)

Musik und Politik möchte ich unbedingt trennen. **Weil wenn's eine Demo gibt und man legt dort auf,** dann mach ich das irgendwie für die Leute und spiel keine Arbeiterlieder. Also, die Musik hat keine politische Aussage. Ich bekenn mich dazu, dass Politiker in der Regierung sitzen, **die ich überhaupt nicht derpack.** Ich kann mich einfach nicht so engagieren, weil ich bis oben hin zu bin mit Arbeit und ich würd mich auch nicht so extrem politisch engagieren ... kostet viel Energie und bringt nicht viel ...
(Erdem Tunakan)

Integration hat sich überlebt! Auch wenn dieses Wort noch immer herumgeistert. Es ist eine Art Schmähung geworden. Besonders politische Funktionshalter der C-Parteien, der christlichen Parteien, aber nicht nur die, nehmen sich diesen Begriff, um eine Art Lagerwahlkampf zu führen. Sie sagen, das mit der Integration ist irgendwie gescheitert, man spricht immer noch von Ausländern, es hätten sich Parallelgesellschaften gebildet ... und in diesem Sinne stellt der Ausländer in dieser Gesellschaft noch immer ein großes Bedrohungspotential dar. Man sagt Integration und meint im gleichen Atemzug auch Kultur, und zwar fremde Kultur, und will über diesen Begriff Kultur, nämlich der Fremden, so meint man das ja, ausschließen. **Damit will man sich auch abgrenzen. Gegenüber den doofen Türken.** Insofern bin ich nicht nur ein Skeptiker dieses Begriffs, sondern ich verdamme diesen Begriff als Lug und Trug. Als ein Phantom, das herumgeistert, und wenn ich mir überlege, dass 2002 Bundestagswahlkampf ist, dann weiß ich ganz genau, was die C-Parteien betrifft, wie diese so genannte Zuwanderungsdebatte ausgetragen werden wird. Auf dem Rücken nämlich jener Menschen – Ausländer –, von denen man sagt, sie seien nicht gebildet und kein ...
(Feridun Zaimoglu)

PARTEIPOLITISCH

Meine Erfahrung ist, **Mitte der 80er** Jahre waren die türkischen Jugendlichen viel offener. Das Gleiche galt auch für mich. Von beiden Seiten. Man hat Kontakte zugelassen und war auch selbst zugänglicher. Man hat Kontakte gehabt mit deutschen Jugendlichen. Es gab keinen speziellen türkischen Blick. **Es gab nur den Blick des Berliners zu dieser Zeit.** Heute sind das sehr klar abgesteckte, fokussierte Probleme junger türkischer Jugendlicher. Was irgendwie auch erschreckend ist. **Aber es ist das Ergebnis der Isolationspolitik der deutschen Behörden der vergangenen Jahrzehnte.** Man hat sich zu dieser Zeit als Teil einer besonderen Jugendkultur gesehen. Ob es Punks oder Hausbesetzer usw. waren, welche auch immer. Als Teil dieser Jugendbewegung hat man sich gesehen. Natürlich gab es Cliquen und Banden usw. auch. Die Türken waren einfach nur ein Teil der gesamten Jugendbewegung in Berlin. Diese Ghettoisierung, dieses Zurückziehen in eigene Zirkel, in eigene Kreise, gibt es erst seit den 90er Jahren. Wenn ich jetzt mit Jugendlichen spreche, die jetzt 19, 20 Jahre alt sind, was ich mitbekomme, die sind viel isolierter, das ist aber auch ihre eigene Wahl. Was mich sehr erstaunt. (Cem Dallaman, Radio Multikulti SFB)

PRINT:
«DER QUOTENTÜRKE«

Ich persönlich kenn sonst **keinen Türkischstämmigen, der als Journalist arbeitet,** aber ich weiß, dass es einige gibt, weil ich les halt in Zeitungen ab und zu einen türkischen Namen. Es wird immer mehr und die Redaktionen sind, glaub ich, auch ganz froh, wenn die jemanden in der Redaktion haben, der Türkisch spricht ... den „Quotentürken" halt. Das ist jetzt nicht bös gemeint, sondern das ist halt sehr hilfreich ... (Hatice Akyün)

„Top one" ist als Nebenprodukt zu einem anderen Projekt entstanden. 1995 im Auftrag des Bundesministeriums, das hat „Leben mit und in der Demokratie" geheißen. Mit der Zeit hat sich dann immer mehr herauskristallisiert, dass Jugendliche Medien machen wollen, die abseits von „Bravo" und „Rennbahn-Expreß" anspruchsvolle Inhalte präsentieren und Jugendliche auch ernst nehmen ... **wer Madonnas Pickel sucht, wird lange suchen können.** Da war auch so die heiße Frage damals, dass alle Jugendlichen so politisch desinteressiert sind. Unsere Erfahrung war aber, dass das gar nicht stimmt. Jugendliche sind sehr wohl interessiert, wenn man mit dem richtigen Angebot kommt. (Hikmet Kayahan)

Meine absolute Megaproduktion, was weltweit wirklich für Furore gesorgt hat – bis jetzt –, also die Geschichte meines Lebens, war die Geschichte mit Shawne Fielding, der Schweizer Botschaftsgattin, die sich für „Max" sehr freizügig gemacht hat, und das hab ich organisiert. Es war sehr anstrengend alles, weil es hat drei Monate gedauert, bis ich die Frau überredet hab, all das zu machen ... Shawne Fielding, das ist die Frau des Schweizer Botschafters hier in Berlin. Das hat den Mann fast den Kopf gekostet. Die Schweizer sind damals auf die Barrikaden gegangen. Das war weltweit, in der New York Times, das war überall – als es dann ein Politikum wurde. Er sollte dann als Botschafter hier in Deutschland abgezogen werden, weil die Fotos halt in der Schweizer Botschaft gemacht wurden. (Hatice Akyün)

Also, die **Flyer-Szene** ist so; die machen viele Plakate – grad letztens gab's eine türkische Party – hab ich gehört, im Schloss, beim Alex in so 'nem Kabarettzelt. **'ne fette Party mit türkischen Stars aus der Türkei und ein paar DJs aus Amsterdam.** Es gibt schon türkische DJs aus Hamburg, Köln – werden extra eingeflogen –, als ob das Techno-Events wären, weißt du ... Das ist so ein richtig fettes Geschäft geworden. Und meistens machen die halt ihre Dinger – ihre Werbung – über Plakate und viel über Metropol – dieses Radio jetzt, was es seit ein oder zwei Jahren gibt – und über Flyer halt. Die werden auf diesen Partys halt verteilt. Und in diesem Café ... (Deniz Kumru)

Einmal gibt's ein Magazin, das **„Graffiti Magazin",** die im Underground agieren, die schon ziemlich lange da sind, manchmal eine Ausgabe in einem Jahr, und dann verpennen sie wieder 'n Jahr, dann machen sie zwei in einem Jahr; das ist das **„Overkill Magazin",** wo's nur um „Writing" geht und U- und S-Bahn-Züge und so was, ich glaub' das ist das älteste Magazin. Also einerseits ebendiese Kids, die viele Magazine selbst machen, dann kann man sich dieses **„Backspin Magazin"** mal ankucken. „Backspin" kommt aus Hamburg ... die haben 'ne ziemlich hohe Auflage. Dann gibt's noch die „Jews", das ist eher das Hiphop-Bravo oder so, wobei nicht wirklich so 'n harter „Sellout" gebracht wird. Dann gibt's die „Backjumbs", aus der Writer-Szene, jetzt machen die 'n bisschen Fashion, ist ganz anders ... Jedem das, was ihm gefällt. (Halil Efe)

Wir wollten ein Lifestyle-Magazin in deutscher Sprache für das Leben junger Türken. **„ETAP"** ist dann auch entstanden. Es lief auch alles sehr gut an, wir haben in den ersten drei Monaten die höchste Zahl von Abonnenten eines türkischen Mediums je in Deutschland erreicht, nach drei Monaten lagen wir bei knapp **18.000 Abonnenten.** Man muss sich das so überlegen, dass jeder Händler wie ein Konsument ist. Er hat das Problem, dass er zwischen 3000 verschiedenen Zeitschriften entscheiden muss, kriegt jeden Tag 'nen Riesenstapel an Zeitschriften, die er kennt und die er nicht kennt, und er behält nur das, was er kennt und was verkauft wird. Wir hatten also das Problem, die Händler kannten uns nicht. (Ozan Sinan)

Rockzeitschriften über türkischen Rock gibt es eigentlich nur aus der Türkei zu bestellen. Es wär eigentlich toll, wenn es Zeitschriften gäbe, die hier in Deutschland auch einmal andere Musik porträtieren würden ... so auf die Art: „He, wir haben Landsleute, die machen auch ganz was anderes als Volksmusik oder türkischen Pop." (Murat Aydin)

Als Herausgeber der Zeitung **„Yeni Vatan Gazetesi"**, auf deutsch „Neue Heimat Zeitung" ist es unsere höchste Priorität, den „Austro-Türken" so viel Information wie möglich über Österreich in ihrer Muttersprache zu vermitteln. Wir möchten, dass unsere Landsleute sich in Österreich gut anpassen, sehr gut Deutsch lernen und sich mit Österreich identifizieren. Österreich ist nicht nur ein Land, in dem wir leben und arbeiten, nach 40 Jahren ist Östereich unsere neue Heimat und mit der Zeit entwickelt sich eine Liebe und Loyalität. Die Zeitung wird in über 500 Vertriebspunkten **(türkischen Kleinmärkten, Bazare, Moscheen, und Gasthäusern) gratis verteilt** und ist die beliebteste regionale Zeitung in türkischer Sprache. (Birol Kilic)

Die erste Ausgabe von „Merhaba" war im April 1997. Seit zwei Jahren erscheinen wir alle 14 Tage. Mittlerweile haben wir bis zu 40.000 Leser in Berlin, die meisten Deutsch-Türken und auch deutsche Leser. Das Magazin ist zweisprachig. Einige Nachrichten sind auf Türkisch und andere wieder auf Deutsch. Was für die erste Generation wichtig ist, machen wir auf Türkisch, und was für die zweite und dritte Generation wichtig ist, machen wir auf Deutsch. Wir bemühen uns, die Brücke zwischen diesen Generationen zu sein. Die Erfolge der zweiten und dritten Generation sollen der ersten Generation näher gebracht werden. Um ihnen zu zeigen, dass diese Erfolge eigentlich auch der Verdienst der ersten Generation sind. Weil die erste Generation sagt, wir sind nach Deutschland gekommen mit dem Holzkoffer, wir haben für euch gearbeitet und jetzt geht's euch gut. Also, das ist eine Schuldbefreiung für die, wenn man diese Verknüpfung herstellt. (Mehmet Zagli, Chefredakteur „Merhaba", Berlin)

RADIO – «ORIENTEXPRESS«

1993, da hat ein neuer Radiosender aufgemacht, den gibt's nach wie vor – **Kiss FM,** ist aber sozusagen ein schon ganz anderer Sender als damals. Damals, als er anfing, war er ein Black-Music-Sender, der auch die Möglichkeit bot, andere Kulturen dort zu verbinden, was nahe liegend ist, denn Türken – wenn man sich den Musikgeschmack anhört – hören in der Regel keinen Techno. Dann sind die in der Regel **Soul-, R&B-, Funk-, Hiphop-Hörer.** Ich hatte sonntags dann die erste halb türkischsprachige Sendung hier in Berlin, die hieß „türkisch kisses", da hab ich türkisch Pop gespielt und Funk, R&B, Soul. Es war anfangs eine ganz kleine Belegschaft aus dem Keller in Neukölln und wir kämpften um eine Antennenfrequenz, weil wir waren nur über Kabel zu empfangen. (Erci E)

Bei **„Radio-Multikulti"** hab ich zuletzt die Morgensendung moderiert. Das ist ein öffentlich-rechtlicher Sender, da gab es Interviews mit Korrespondenten aus den USA, da gab es Beiträge zum ausländischen Leben in Berlin ... usw., und jetzt mach ich 'ne andere **Sendung, „Orientexpress"** heißt die. Die ist jeden zweiten Mittwoch von 15.00 bis 16.00. Ich hab da auch vorher 'ne andere Sendung gemacht, die hieß „Heidi-hop", da gab's auch türkische Musik. Also bei Radio Multikulti, da moderier ich komplett deutsch und spiel halt 'ne Stunde türkische Musik. Ich will nicht unbedingt das bringen, was in den türkischen Charts rauf- und runtergeht, interessant ist das, was da am Rande passiert, dass ich sage, es gibt halt auch eine richtig gute Funk-Band oder Ska-Band, die wirklich was sagen, und das ist halt interessant für die Leute und da kommen oft Anfragen. (Erci E)

Bei **Metropol FM** werde ich ab nächsten Monat – also ich hab die Charts-Sendung gemacht – 'ne Hiphop/Rock-Sendung machen. Rock ist schon sehr viel etablierter in der Türkei und wird auch sehr gemocht von der Jugend, weil's halt 'n guter Kontrast zu dem Popgedudel ist. Die Sendung heißt „Nargile-Wasserpfeife". Es gibt 'ne sehr interessante Internet-Seite www.turkishhip-hop.net (Erci E)

Metropol FM ist jetzt zwei Jahre alt. Seit Ende November 2001 sendet Metropol FM außer in Berlin noch in Ludwigshafen und, wenn alles gut geht, nächstes Jahr vielleicht schon in anderen Orten in Deutschland, um am Ende in ganz Deutschland zu senden, sozusagen **Energy Radio für Türken.** Das ist sehr gut, da verbindet sich die ganze Community bei diesem Sender. (Erci E)

Ich bin seit dem Aufbau von Metropol FM hier. Es gibt in Deutschland kein türkisches Personal, das ausgebildet wurde für privates Radio. Es gibt viele Kollegen, ich komm auch vom öffentlich-rechtlichen Radio, **aber es gibt keinen Türken, der in einem privaten Radio in Deutschland gearbeitet hat.** Der die Technik kennt, der dieses Format kennt, dieses Verständnis einfach kennt ... es finanziert sich nur von Werbung. Deswegen war es schwierig, qualifizierte Leute zu finden. Man musste Mitarbeiter finden, die vielleicht die Eigenschaften für einen Radiomoderator hatten, und die wurden hier eingestellt, und dann gab es monatelange Schulungen und die gehen noch immer weiter. Fachgerecht gesagt: ist das ein adult contemporary Hit-Radio. Es ist ein Formatradio und kommt klar aus Amerika, die Moderationen begleiten den türkischsprachigen Berliner durch den Tag. Ich informiere von Geld bis Disko, **wir geben diese Info, die Migranten für die Integration brauchen.** Man will sich hier in Berlin auch wohl fühlen, und das versuchen wir mit dem Radio. Irgendwann soll das auch vielleicht so weit führen, dass die Leute sagen, das ist meine Stadt. (Ceyhun Kara/Redakteur+Moderator Metropol FM)

Ich war erst **fast zehn Monate Nachmittagsmoderator,** und danach wurde ich zum Morgenmoderator befördert. Es war schon eine Lücke, auch eine Marktlücke, wir hatten hier Fernsehen und Zeitung, Theater, einfach alles, aber Radio hatten wir nicht in Berlin. Einige Leute hatten sich hingesetzt und 'ne Lizenz gekriegt. (Ali Yigit)

Uns interessiert nicht, wie viel Zigaretten in der Türkei kosten. Mich interessiert, dass Zigarettenpreise in Deutschland bald erhöht werden, und das sagen wir auch bei Metropol FM. (Ali Yigit)

Vorbereitung für **Radio Multikulti** gab es 1991. Es gab eine eineinhalbstündige Sendung im Rundfunk für Türken, und eine halbe Stunde für Jugoslawien damals. Aber es kam die Forderung, auch die Iraner, die Kurden, die Polen, die Russen usw. müssten ein Forum haben. Also kam man auf die Idee, einen Sender auf die Beine zu stellen, der all diese Gruppen medial präsentiert. Alle unter einem Dach. Ein Multikultiradio. Gleichzeitig aber auch die speziellen Wünsche und Probleme dieser Minderheiten für Deutsche zu transportieren. Man hat sich auf 18 Stunden Deutsch geeinigt. Den Rest in den anderen Sprachen. Also sechs Stunden. Also auch die deutschen Programme werden von Menschen aus den Minderheiten moderiert. **Das türkische Programm ist zwischen 17 und 18 Uhr.** Außer Samstag. Viel zu wenig, aber wir müssen auch damit leben. (Cem Dallaman, Radio Multikulti SFB)

Es gab eine Sendung von einem Jugendlichen – **über junge Türken, die in der Pornobranche arbeiten.** Es gibt nämlich ganz viele Frauen in Berlin, die in der Pornoindustrie arbeiten. Es gab da eine Pornomesse und da hat dieser Redakteur zwei, drei türkische Frauen kennen gelernt, die sich da bei verschiedenen Verlagen vorgestellt haben und nach Arbeit gesucht haben. Daraus hat er ein Feature gemacht. Wie gehen die Eltern damit um, verstecken die das, was erhoffen sie sich? Das meine ich mit **Tabuthemen.** Es ist eine ganz große Palette. Auch von Arbeitslosigkeit sind enorm viele junge Türken in Berlin betroffen und dementsprechend schalten die dann auch ein. Das **Folgethema ist dann die Ausweglosigkeit,** der Frust, die Misere dieser Jugendlichen, ohne Perspektive. Die Folgesendung kann dann nur sein: eine über Dealer, das ist ein in Berlin häufiger Zusammenhang. Vier, fünf Jahre Arbeitslosigkeit, und irgendein Freund von einem türkischen Dealer sagt, da, mach das, da verdienst du gutes Geld, und so entstehen Folgethemen, die sich schon fast automatisch ergeben. (Cem Dallaman, Radio Multikulti SFB)

Ich muss leider zugeben, dass die **deutsche Hörerschaft** nicht groß genug ist, das dümpelt nur bei **0,8 bis 1 %** der gesamten Hörerschaft. Schade. Ich denke schon, dass wir einiges zu bieten haben. Wir haben Multikulti- oder Weltmusik, aber die Akzeptanz bei der deutschen Zuhörerschaft muss mehr sein. Die deutsche Leitung des Senders erwartet sich zu Recht etwas mehr. Dafür ist aber die Zuhörerschaft der Ethnien sehr hoch. Die türkische Zuhörerschaft liegt nach letzten Zahlen bei 10 bis 15 %. Das ist für eine einstündige Sendung relativ hoch. (Cem Dallaman, Radio Multikulti SFB)

TV – STAR-DIGITAL

Ich schau gerne Serien an. **„Gute Zeiten, schlechte Zeiten“**, „Marienhof“, „Verbotene Liebe“. Ich schau auch sehr gerne den türkischen Kanal an. Ich schaue sie halt gerne, weil's halt türkisch ist ... dann gibt's da die Magazinsendungen, über die Stars und Sänger. Da gibt's Sendungen, die heißen „Paparazzi“ und „Televole“, die mag ich gern. Und dann gibt's da einen **Musikkanal „KRAL-TV“,** das ist so wie MTV, nur halt auf Türkisch. Und das bekommt man halt übers Satellitenfernsehen, über „STAR-digital“ nennt sich das. Da gibt's dann mehrere türkische Kanäle, so 15 Kanäle, das muss man kaufen. Bei „KRAL-TV“ hat man auch Nachrichten und so, und bei „GENC-TV“ hat man nur Musik. Und „GENC-TV“ heißt übersetzt Junges TV. Da gibt's halt nur türkische Musik. Und da gibt's einen Knopf und da drück ich dann und dann hast du 50 türkische Radiostationen: „KRAL-FM“, „Lokum-FM“, „Super-FM“, „Samba“, „Latino-FM“, ist alles gemischt. Das ist auch in diesem „Star-digital“-Receiver drin. **Da ist nur Musik, niemand spricht.** (Sibell Temel)

Ich hab so das Gefühl, dass sich seit den **Satellitenübertragungen – seit es diese Fernsehsendungen gibt – hat sich vieles verschlechtert.** Ich sag nicht, dass man das Ganze verbieten sollte ... , aber das merkt man schon ... Die Kinder, die mit der Schule angefangen haben, viele haben schlechtere Deutschkenntnisse, weil es jetzt in jedem türkischen Haushalt türkisches Fernsehen gibt – die sind nur mit dem Körper anwesend, aber nicht mit dem Geist. **Früher haben die Eltern nur ORF 1 und ORF 2 gehabt** und die Kinder haben automatisch österreichisches Fernsehen anschauen müssen und dadurch gab's ja ein aktives Sprachfernsehen ... Sie wachsen zwar hier auf, haben aber keine Ahnung. In den Ghettos, wo sie sich bewegen, wird viel weniger Deutsch gesprochen als früher... (Mehmet Emir)

Ein Freund von mir, der arbeitet bei **„Heimat, fremde Heimat“,** diese Sendung vom ORF, der hat so zehn Minuten gedreht ... es sollte eine sechsteilige Serie werden. Diese Serie sollte heißen **„Jörük Haidat“.** Das klingt sehr nach Jörg Haider, findest du nicht ...? Aber das heißt in Wirklichkeit „Der Heide Haidat.“ Ich hab die Hauptrolle gehabt ... Diese zehn Minuten haben wird dann den ORF-Leuten zur Ansicht geschickt. Sie haben gesagt: „Ja, es hat uns gut gefallen.“ Dann ist aber „Taxi Orange“ gekommen und sie haben gesagt, sie können es doch nicht ins Programm aufnehmen. Der ORF hat gemeint, dass es finanziell nicht gehen würde ... **es gibt kein Geld dafür** ... (Mehmet Emir)

Meine Lieblingssendungen ... der Andreas Türck – seine Talkshow auf SAT. Da sind halt Jugendliche, die schon mit 14 schwanger sind oder die abgehaut sind ... zuerst kommt Arabella und dann Andreas Türck ... Filme gefallen mir auch, oder **„Eine himmlische Familie“** schau ich mir auch gern an. Türkisches Fernsehen schau ich nicht mehr, außer es gibt einen guten Film oder so. (Ebru)

Früher hab ich nie den türkischen Sender geschaut, jetzt schau ich in mir ab und zu an ... obwohl es mich irrsinnig aufregt ... ich hab dann immer das Gefühl, ich schau einen drittklassigen Kanal, **der irrsinnig wenig Geld hat, und die Qualität ist irrsinnig schlecht** und die Filme ... die sollten zwar traurig sein ... aber für mich haben die nur Unterhaltungswert, ja ... ich schau zum Beispiel auch gern österreichische Heimatfilme – „Der Berg ruft“, oder so – die find ich ziemlich lustig ... es berührt mich zwar nicht, aber es unterhält mich einfach ... (Eila)

Es gibt ja Fernsehsender aus der Türkei, die auch in Deutschland Büros haben, die dann zum Beispiel Kanal D oder ATW senden ... ist an einigen Orten über Kabel zu empfangen, und die machen Programme aus Deutschland, wo sie dann – ein Beispiel – so magazinartige Programme machen, wo sie in Mannheim türkische Jugendliche befragen zu Popkünstlern, witzige Sachen machen, in türkische Diskotheken gehen, also einfach das türkische Leben in Deutschland endlich zeigen, und das gibt es. (Erci E)

Urlaubsland Türkei: "Ich bin von Niederösterreich wegzogen, nicht von der Türkei"

Bei mir hat das Verfahren über die Verleihung der **österreichischen Staatsbürgerschaft** über eineinhalb Jahre gedauert und in der Zwischenzeit war mein türkischer Reisepass ungültig. Die Beraterin von der Einbürgerungsstelle hat dann gemeint, dass ich trotz Ablaufs die österreichische Staatsbürgerschaft bekommen werde ... Das war dann nicht der Fall, **weil ich von der türkischen Botschaft nicht entlassen wurde,** weil mein Name aufgrund politischer Geschichten vom Gesundheitsministerium an die türkische Regierung weitergegeben wurde, weil ich mich damals für eine achtzehnjährige Frau eingesetzt habe, die bei den ersten Maidemonstrationen im Jahre 1990 durch Schüsse der Sicherheitskräfte getroffen wurde und querschnittgelähmt war. Ich hab in Österreich dann eine Kampagne gestartet, damit sie in Österreich zumindest eine Behandlung bekommt. In der Türkei war sie im Gefängnis und nicht in einem Krankenhaus, und das Gesundheitsministerium hat dann meinen Namen an die türkische Regierung weitergegeben ...
(Gül Özdemir)

Ich hab die österreichische Staatsbürgerschaft. So gesehen bin **ich in Wirklichkeit keine Türkin.** Wenn ich mich jetzt hinstell und sag: **„Ich bin Österreicherin,** weil ich hier geboren bin“, dann sagen die: „Bist es nicht ...“. Wenn ich aber in der Türkei bin, kann ich ebenso wenig sagen: „Ich bin Türkin.“ Mir fehlt sehr viel dazu ... geografisches Wissen, geschichtliches Wissen ... **ich weiß nicht, wo die ganzen Bundesländer in der Türkei sind** ... Wenn ich dann in der Türkei bin, geht mir Österreich ab. Und ich fühl mich auch viel freier hier. Man kann sich hier als Frau einfach freier bewegen. Du kannst dort nicht so spät fortgehen allein oder so. Jedenfalls brauch ich nicht so einen Ort, den ich als Heimat bezeichnen kann ... **Am ehesten ist für mich Heimat, wo man als Kind war** ... und das war bei mir Tirol.
(Zehra)

Die Vorstellung von Europa war die, dass man sie alle als Deutsche bezeichnet hat – die **Österreicher** hat man ja gar nicht gekannt ... **so ein winziges Land, mitten in Europa.** Deswegen sagt man heute immer noch in der Türkei zu den Leuten, egal ob sie aus Holland, Frankreich oder der Schweiz kommen ... **alle bezeichnet man als die Deutschen.** Mein Vater war auch ein „Deutscher“.
(Mehmet Emir)

Okay, es ist schon **geil in Deutschland zu leben!** Es ist hier alles so organisiert. Ich weiß nicht, ob du schon einmal in der Türkei warst? Oh Gott, es ist alles so schrecklich, alles so korrupt, die ganzen Behörden und so ... es ist alles so schlimm. Und hier? Ich liebe die deutsche Bürokratie, ich liebe sie und ich liebe die deutsche Pünktlichkeit.
(Hatice Akyün)

Mir gefällt halt das Actiongefühl in der Türkei ... aber auf Dauer ist das nichts. Das ist zu stressig ... **nach drei Wochen krieg ich die Krise** ... Wenn du's gewohnt bist, zwei Stunden irgendwo hinzufahren und dich trotzdem zu verspäten, dann macht dir das nichts aus ... Es tun sich zum Beispiel Leute, die aus Istanbul kommen, hier auch irrsinnig schwer ... die langweilen sich hier zu Tode ... **In Istanbul geht's zu ... ein Wahnsinn.**
(Deniz Kumru)

Es hat sich so ergeben, dass ich in der Türkei veröffentlichen wollte. Der deutsche Markt ist halt schon ziemlich übersättigt, aber **der türkische Markt ist was für uns, um diese Musik so rauszubringen;** da hat man halt gedacht, dass man dort die Musik halt so durchsetzen kann, weil wenn's hier läuft, dann kann's bestimmt auch in der Türkei laufen. Aber dann hat sich halt erwiesen, dass der türkische Markt noch viel grauenvoller und noch viel schwieriger ist als hier in Deutschland. (Koray Tolas)

Wir machen ja Solidarisierungsveranstaltungen, und eine **„Soli-Mark"** heben wir auch ein bei „Gayhane" und „Shahane Hane", die für unterschiedliche Projekte eingesetzt werden. Ein Projekt sind zum Beispiel die Istanbuler Rechtsanwältinnen. Die kümmern sich dann darum, dass sie ein Rechtsbeistand sind für Frauen, die in der **Türkei von der**

Und dieser Stolz ist da, dieser **unnötige, dumme Stolz,** der alles kaputtmacht, dieser dumme Stolz ... der uns mit all unseren Nachbarn einfach in Kriege geführt hat und nur in Konflikte. (Fuat)

Polizei oder von so genannten Dorfschützern vergewaltigt werden. Dass halt die Frauen auch die Möglichkeit bekommen, unterstützt zu werden. Viele der Frauen nehmen sich dann das Leben, weil sie nicht weiterleben können, weil sie ihr Gesicht gänzlich verlieren. Diese Frauen helfen den Frauen eben, dass die weiterkommen, dass möglichst die Täter verfolgt werden und dass Prozesse angestrebt werden und dass das überhaupt an die Öffentlichkeit kommt. **Die Türkei wird halt alles machen, dass sie nach außen hin schön aussehen,** viele Sachen werden da verschönt. (Fatma Souad)

Ich bin in der Türkei fremder als du, ich würde vielleicht verrecken dort ... ich hab einfach so deutsch sein gelebt. So **Hardcore-Moslem** sein oder so, das ist nicht mein Ding. Ich laufe so mit Brille, ich bin voll so der Typ so, ich kann in der Türkei nicht, die würden mich sofort einsperren. (Killa Hakan)

Die Leute haben noch mit viel krasseren Umständen zu kämpfen als die Leute in Europa. Die Leute haben in Europa die Freiheit, auf die Straße zu gehen, ohne Angst zu haben. **Europa hat einfach diesen Sicherheitsvorteil,** die Leute haben das alles missbraucht, die Leute haben sich geistig einfach nicht weitergebildet. Im Endeffekt gab's die Schlauen, die den Dummen immer alles verkaufen und damit 'ne Horde Kohle machen. Das war die traurige Bilanz dieser Sicherheit, die man da erschaffen hat, und **diese schöne freie Welt, wo man auch mal meckern durfte.** (Fuat)

In der Türkei, da hab ich ein Angebot im Ferienort Bodrum bekommen, ich sollte da auflegen. **Bodrum ist so wie Ibiza, nur in der Türkei.** 28 Tage lang hab ich da aufgelegt und bin dann wieder zurück. Hab nur in Bodrum aufgelegt. Ich kenn die Türkei nicht so gut. Die Bezahlung als DJ in der Türkei ist halt nicht gut. 100 Mark pro Tag, wenn du in der Türkei lebst, ist das sehr gutes Geld. Ich sollte jeden Tag auflegen, aber da wird man wahnsinnig. Ich konnte das dann nicht mehr.
(DJ H_Khan)

Also, als ich 15 war, als mir meine Eltern damals gesagt haben, du, **jetzt möchten wir für immer zurück in die Türkei,** was denkst du da? Die haben mich auch gefragt damals, mich und meine Schwester. Und ich wollt runter. Ich wollt mal in die Türkei. Ich wollt eine Zeit lang dort leben. Weil ich hab **bis zu meinem 15. Lebensjahr in Wien** gelebt und ich hab die österreichische Kultur irgendwie gekannt, und da habe ich mir gedacht, ich bin ein Türke und zu Hause wird Türkisch gesprochen, meine Muttersprache ist türkisch, aber ich kenn meine türkische Kultur nicht so gut. Meine eigene Kultur. Da hab ich mir gedacht, es kann doch schließlich gar nicht so schlecht sein, wenn ich mal eine Zeit lang unten lebe. Jetzt bin ich 25. Habe 6 Jahre lang unten gelebt, in der Türkei. Und jetzt bin ich von den Kulturen her, bin ich ein sehr, sehr reicher Mann ... Mensch. (Osan Önal)

Wichtige Adressen

Wien

Bundesministerium für Unterricht und kulturelle Angelegenheiten – Referat für Interkulturelles Lernen
Bundesministerium für Unterricht
und kulturelle Angelegenheiten
1014 Wien, Minoritenplatz 5, Fon +43 1 53 120-2552, Fax +43 1 53 120-2207
Tätigkeitsbereiche: Pädagogische und organisatorische Angelegenheiten für SchülerInnen mit nichtdeutscher Muttersprache in allen Schularten, insbesondere für Kinder von ArbeitsmigrantInnen und Flüchtlingen; Grundsatzarbeit zu den Bereichen Förderung der Muttersprache, Deutsch als Zweitsprache und Erziehung zur Zweisprachigkeit; Weiterentwicklung des Unterrichtsprinzips „Interkulturelles Lernen" für alle SchülerInnen zur Vermittlung von Fähigkeiten und Fertigkeiten, um in einer multikulturellen Gesellschaft handlungsfähig zu werden.

Interkulturelles Zentrum (Wien)
1050 Wien, Kettenbrückengasse 23,
Fon +43 1 58 67 544, Fax +43 1 586 75 44-9
Das Service umfasst: Vermittlung von Projektpartnern in allen Ländern der Welt, organisatorische, rechtliche und inhaltliche Beratung, Vergabe von Förderungen für Partnerschaften mit Mittel- und Osteuropa. Weiters wird „Jugend für Europa" – ein umfassendes Jugendprogramm der Europäischen Union für 15- bis 25-jährige Jugendliche – für Österreich vom Interkulturellen Zentrum koordiniert.
Der „Europäische Freiwilligendienst" ermöglicht 6- bis 12-monatige Einsätze von Jugendlichen zwischen 18 und 25 Jahren in sozialen Einrichtungen (in EU-Staaten) gegen Taschengeld, Unterkunft und Verpflegung.

Jugendzentren der Stadt Wien/Zentrale
1210 Wien, Pragerstraße 20, Fon +43 1 278 76 45, Fax +43 1 278 76 45

Club International Wien –
Verein für Ausländer in Österreich
1160 Wien, Payergasse 14,
Fon +43 1 403 18 27
Sevice: Wohnrechtsberatung und -vertretung, Beratung für Langzeitarbeitslose, Sprachkurse …

ECHO –
Verein zur Unterstützung Jugendlicher
1070 Wien, Gumpendorfer Straße 73,
Fon +43 1 58 56 857-12,
Fax +43 1 58 56 857-99,
http://www.echo.non.at
Leiter: Bülent Öztoplu
Tätigkeitsbereiche: Jugendkultur- und Integrationsarbeit, Lobby für ausländische Jugendliche, zweite und dritte Generation, Straßenarbeit, Herausgeber der Zeitschrift „Echo – erste Zeitschrift der Zweiten Generation"

Volkshochschule Ottakring/
Externisten Hauptschule für Jugendliche
1160 Wien, Ludo-Hartmann-Platz 7,
Fon +43 1 49 20 883-51,
Fax +42 1 49 20 883-58
http://www.topone.at
Leiter: Hikmet Kayahan
Mitarbeit in zahlreichen inter- und multikulturellen Projekten, Leiter des Fachbereichs Jugendbildung an der Volkshochschule Ottakring.
Themen: Jugendliche der Zweiten Generation; Jugend- und Erwachsenenbildung (MigrantInnen); Jugendliche MigrantInnen und die EU, Zeitschrift „TOP ONE – Von Jugendlichen für Jugendliche"

Initiative Minderheiten (Wien)
1060 Wien, Gumpendorfer Straße 15/13, Fon +43 1 586 12 49-12, Fax +43 1 586 82 17,
http://www.initiative.minderheiten.at
Plattform für Minderheiten und Mehrheiten mit dem Ziel, das Zusammenleben von Mehrheiten und Miderheiten in Österreich zu verbessern und die gesellschaftspolitische Position der Minderheiten zu stärken. Zeitschrift: „Stimme-von und für Minderheiten".

Wiener Integrationsfonds
1060 Wien, Mariahilfer Straße 103,
Fon +43 1 4000-81520,
Fax +43 1 4000-99-81520
Die Ziele und Aufgaben des Wiener Integrationsfonds sind: Grundlagenarbeit für ein langfristiges friedliches Zusammenleben der unterschiedlichen Bevölkerungsgruppen in Wien; Hilfestellung für alle BewohnerInnen Wiens bei Problemen und Konflikten im täglichen Zusammenleben und beim Kontakt mit Behörden; Zusammenarbeit mit den Verwaltungsstellen und politischen Entscheidungsträgern der Stadt Wien sowie mit Gruppen, Vereinen und Initiativen, die sich um das Zusammenleben der einheimischen und zugewanderten Bevölkerung bemühen.
Zu den Aufgabenbereichen gehören: Servicetelefon, Jugendberatung, Wohnen, Frauenarbeit, juristische Arbeit, Öffentlichkeitsarbeit, Dokumentationen, Sprachkurse und Schulungen, Außenstellen in den Wiener Bezirken, Bibliothek

Integrationsforum
1050 Wien, Bacherplatz 10/6,
Fon +43 1 548 48 00, Fax +43 1 54 84 800-9
Das Integrationsforum ist auf Privatinitiative von politisch interessierten Studenten entstanden. Der Verein hat es sich zur Aufgabe gesetzt, quasi als „Werbeagentur" für den Gedanken der Integration und Toleranz zu fungieren.

Inter>face - die internationale Jugend- Kultur- und Bildungswerkstatt
1070 Wien, Kenyongasse 15,
Fon +43 1 524 50 15-0,
Fax +43 1 524 50 15-15
http://www.interface.or.at
Service: über Kunst, Theater, Musik, Tanz, Schauspiel, Malerei, Medien, Sport werden Jugendlichen zwischen 16 und 21 Jahren kostenlose Kurse angeboten.

Back on Stage - Mobile Jugendarbeit
1100 Wien, Kennergasse 10,
Fon +43 1 606 62 52, Fax 606 74 50
1160 Wien, 1050 Wien.

Beratungszentrum für Migranten und Migrantinnen - arbeitsmarktpolitische Betreuungseinrichtung
1030 Wien, Am Modenapark 6/8,
Fon +43 1 712 56 04-11
Fax +43 1 712 56 07
Hilfe in folgenden Bereichen:
Angelegenheiten des Ausländerbeschäftigungsgesetzes (Beschäftigungsbewilligung, Arbeitserlaubnis, Befreiuungsschein usw.), Fragen zur Sozialversicherung, arbeitsrechtliche Fragen ...

Verein Türkischer Frauen
1020 Wien, Wehlistraße 178,
Fon +43 1 72 89 725, Fax +43 1 72 86 013

Clubbings „Bodrum"
http://www.bodrum.at

„Türkische" Märkte
1160 Wien, Brunnengasse/Brunnenmarkt - Nähe Yppenplatz
1060 Wien, Naschmarkt

Berlin

Die Ausländerbeauftragte des Berliner Senats
10785 Berlin, Potsdamer Straße 65,
Fon +49 30 90 17-23 51,
Fax +49 30 262 54 07

Ärztliche und psychosoziale Untersuchung und Beratung in- und ausländischer Kinder, Jugendlicher und deren Familien
10969 Berlin, Bezirksamt Kreuzberg, Abt. Sozialwesen und Gesundheit, Wassertorstr. 48, Fon +49 30 25 88-88 12

Beratungsstelle für Türkische Familien
13353 Berlin, Fennstr. 33,Fon +49 30 461 70 19

„Nokta"
14129 Berlin, Teutonenstraße 4,
Fon +49 30 803 18 31
Wohngemeinschaft für Drogengefährdete (insbesondere Türken und Araber)

Schwule Internationale Berlin
10777 Berlin-Schöneberg, Motzstr. 5,
Fon +49 30 216 80 08, Ort: Mann-O-Meter
Treffpunkt und Interessenvertretung für Schwule aus allen Ländern

Verein für Internationale Jugendarbeit – Landesverein Berlin Brandenburg e.V.
10717 Berlin, Bundesallee 22,
Fon +49 30 88 55 12 96
Beratungsstelle für Migration

Mosaik Jugendkulturetage e.V.
10999 Berlin, Oranienstr. 34,
Fon +49 30 615 64 93

Kinder- Jugend- und Kulturzentrum Naunynritze
10997 Berlin, Naunynstraße 63,
Fon +49 30 25 88-66 30

Deutsch-Türkische Europaschule
10999 Berlin, Fraenkelufer 18,
Fon +49 30 25 88 84 31

Akarsu e.V.
10999 Berlin, Oranienstr. 25,
Fon +49 614 70 31, 614 20 85
Gesundheit, Bewegung und Berufsvorbereitung für immigrierte Frauen e. V.

Schokofabrik -
Bildungs- und Beratungsstelle für Frauen und Mädchen aus der Türkei
10997 Berlin, Mariannenstr. 6, Hinterhaus, 3. Stock, Fon +49 30 615 75 39, 615 29 99

DOST - Verein zur Förderung des Zusammenlebens und der Chancengleichheit Zwischen Deutschen und Ausländern e.V.
Fon +40 30 392 94 44

Europäischer Verband Türkischer Akademiker (EATA) Europe Office
12101 Berlin, Manfred-von-Richthofen-Str. 9, Fon +49 30 785 56 32, 785 56 92,
Fax +49 30 785 56 45

Türkischer Kulturverein Berlin e.V.
13347 Berlin, Lindower Str. 24,
Fon +49 30 461 90 66, 461 29 54

Tiyatrom
10969 Berlin, Alte Jakobstr. 12,
Fon +49 30 615 20 20
Türkisches Theater
Türkisches Kino im Kino Eiszeit
10997 Berlin, Zeughofstr. 20,
Fon +49 30 611 60 16

Türkisches Kulturzentrum -
Türk Kültür Merkezi
10707 Berlin, Kurfürstendamm 175-176,
Fon +49 30 883 44 60

Sportjugend Berlin
14053 Berlin, Jesse-Owens-Allee 1-2,
Fon +49 30 300 02/170

SFB4-Multikulti
14057 Berlin, Masurenallee 8-14,
Fon +49 30 30 31 21 40/41,
Fax +49 30 31-21 49
Türkische Redaktion

GON-Club - Gay Oriental Night -
Schwul-lesbische Veranstaltungen/Parties
10827 Berlin-Schöneberg, Hauptstraße 30/Hof 2, jeden Freitag

Salon Oriental
Orientalisch-schwules Cabaret und Disco
Einmal im Monat im SO 36, genaue Zeiten bitte erfragen unter Fon +49 30 61 40 13 06

„Türkische" Märkte
Crellestraße/Ecke Großgörschenstraße - Mittwoch, Samstag vormittags
Maybachufer zwischen Kottbusser Brücke und Hobrechtstraße - Dienstag, Freitag 10.00-18.00 Uhr

Relevante Mailadressen

http://www.trainz.de
http://www.stoneheads.net
http://www.roughmixrecordings.de
http://www.cheap.at
http://www.flying-steps.de
http://www.ypsilon-musix.de
http://www.hiphopcity.de
http://www.turkishhiphop.net
http://www.atilkutoglu.com
http://www.so36.de
http://www.royalbunker.de
http://www.vaybee.de
http://www.echo.non.at
http://www.interface.or.at
http://www.topone.at

Bildnachweis

Seite 3: Oben (von links):
Trans-Film, Christian Schulz;
Merhaba Berlin (2x)
Mitte (von links):
Merhaba Berlin; privat;
Merhaba Berlin (2 x); privat
Unten (von links):
Obere Reihe: Merhaba Berlin (2 x);
Roland Ferrigato
Untere Reihe: Merhaba Berlin (2 x);
Trans-Film, Christian Schulz

Kapitel 1: **Familie**
Seite 13: „Der Maskenmann":
Orhan, Breakdancer aus Wien;
Foto: Roland Ferrigato

Peers Wahlfamilie
Seite 14 u. 15: Szenefotos aus dem Film „Brothers and Sisters", „Geschwister - Kardesler" von Thomas Arslan, Trans-Film, 1996, Foto: Christian Schulz

Beziehungen
Seite 17: Szenefoto aus dem Film „Der schöne Tag", Thomas Arslan
Foto: Serpil Turhan und Bilge Bingül, Peripher Filmverleih

Kapitel 3:**Job**
Seite 21: Foto: Merhaba Berlin
Seite 23: Foto: Mehmet Emir

Kapitel 4: **Berliner Szene**
Seite 25: Vor dem papparazzi-club in Berlin; Foto: Merhaba Berlin
Seite 26: „Bar 1001" und „Nürnbergerstraße 25-28" (privat)
Seite 27: Die Berliner Boygroup Grup YADE; Foto: Merhaba Berlin; Werbeflyer (privat)
Seite 29: DJ H. Khan; Foto: Merhaba Berlin
Seite 30: Flyer „Türk De Luxe (privat)

Kapitel 5: **Türkische Clubbings**
Seite 31: „Türsteher"; Foto: Merhaba Berlin

Kapitel 6: **Türkisch Pop & Rock**
Seite 36 u. 37: Konzertplakate Faruk K., Haluk Levent, Azer Bülbül (privat)
Seite 38: Die türkische Hardrock-Band Stoneheads/Faskafalar; „diyalog Abschlussfest 2001" (privat)

Kapitel 7: **Wiener Szene**
Seite 39-41: Werbematerial „Club Azucar", „Gazometer", „Octopus", „Arena" (privat)
Seite 42: „Parkkultur"; Foto: Roland Ferrigato
Seite 43: DJ Erdem Tunakan; Foto: FM4/ORF

Kapitel 9: **Homoszene**
Seite 49 u. 50: Werbematerial „Gayhane" (privat)
Seite 51: Der homosexuelle Berliner Türke „Eserzade"; Foto: Merhaba Berlin

Kapitel 10: **HipHop is 'ne Familie**
Seite 52: Werbematerial „Turkish HipHop Jam" (privat)
Seite 53 oben und unten: Die Breakdance-Gruppe „Resurrection", Wien und „Breakdance-Hand"; Foto: Roland Ferrigato
Seite 54: Werbeflyer „flying-steps" (privat)
Seite 58 u. 59: Das „Downstairs": Graffitigeschäft in Berlin (privat)
Seite 60: Links und Mitte: Sprühdosen im Graffitigeschäft „Downstairs"; „Die letzten 36ers" (Neco 1993); (privat)
Rechts: Graffiti Wien;
Foto: Roland Ferrigato
Seite 61 u. 62: Werbematerial diverser Plattenpublikationen (privat)
Seite 64: Kartell; Foto: „Lab-One", Berlin
Seite 66: „Erci-E"; Foto: „Lab-One", Berlin
Seite 67: „Islamic Force" (privat)
Seite 68: Fuat: „Hassik Dir" (privat)

Kapitel 11: **Kreuzberg/Klein Istanbul „SO36"**
Seite 69: Straßenszene in Keuzberg (privat)
Seite 71: Die Berliner Türkengang „Fighters" (*Spiegel* 46/1990)
Seite 72: U-Bahn-Station „Kottbusser Tor" (privat)
Seite 73: „Deutsch-türkische Freundschaft" (privat)
Seite 75: Kreuzberger Grafitti (privat)

Kapitel 14: **Sport**
Seite 83: Türkische Jugendliche im offenen Mercedes; Foto: Merhaba Berlin
Seite 85: „Die Kickboxerinnen": Tulay und Schwester (beide außen, rechts Tulay); Foto: Merhaba Berlin
Seite 86 oben li.: Oktay Urkal: Europameister, Silbermedaillengewinner bei den Olympischen Sommerspielen in Atlanta 1996, Künstlername: Cassius Oktay; Foto: Merhaba Berlin;
oben re.: Kung-Fu-Videos; Foto: Roland Ferrigato
unten re.: „Zwei Nachwuchskaratekämpferinnen"; Foto: Merhaba Berlin
Seite 87: Panini-Sticker der Bundesliga-Saison 2001/2002

Kapitel 15: **Powergirls**
Seite 90: Foto: Merhaba Berlin
Seite 92 oben: „Mädels"; Foto: Roland Ferrigato;unten: Tulay Turan (24), Boxerin, Polizeibeamtin; Foto: Merhaba Berlin

Kapitel 16: **Kunst & Kultur**
Seite 95: Objekt „Vagina" von Enis Turan (privat)
Seite 96: Werbeflyer zum Film „Brothers and Sisters"/„Geschwister" von Thomas Arslan; Trans-Film
Seite 99: "Dealer", ein Film von Thomas Arslan; Trans-Film
Seite 101: Belhe Zaimoglu im Film „Zoom" von Otto-Alexander Jahrreis (privat)
Seite 102: Erkan & Stefan (privat)
Seite 103: Bülent Ceylan/Comedyartist (privat)
Seite 105: „Markenmanie"; Foto: Roland Ferrigato
Seite 106: „Buffalo-Schuhe"; Foto: Roland Ferrigato
Seite 107 u. 108: Aus der Werkstatt des Modedesigners Atil Kotuglu; Foto A. K.
Seite 109: Spielplan des Türkischen Theaters Berlin Tiyatrom (privat)
Seite 110: Werbeflyer des Theaterprojekts Interlingua, Wien (privat)
Seite 111: Traditionelle Musikgruppe; Foto: Merhaba Berlin

Kapitel 18: **Tschuschenpower**
Seite 120: Wahlwerbung des „Bündnis 90 - Die Grünen"/Özcan Mutlu (privat)

Kapitel 19: **Kommunikation**
Seite 122 u. 123: Titelblätter der Illustrierten „Spor" und „Merhaba" (privat)
Seite 124: Titelseite der deutschtürkischen Zeitschrift „etap", Ausg. 3/2000 (privat)
Seite 125: Werbeflyer des türkischen Radiosenders „Metropol FM" (privat)

Kapitel 20: **Urlaubsland Türkei**
Seite 131: „Fotolandschaft" im Zimmer von Neva (privat)